EDUCAÇÃO
CONTRA A BARBÁRIE

Copyright desta edição © Boitempo, 2019

Equipe de realização
André Albert, Andréa Bruno, Carolina Mercês, Fernando Cássio,
Ivana Jinkings, Juliana Brandt, Kim Doria, Livia Campos, Livia Viganó,
Mika Matsuzake (capa), Tiago Ferro (edição).

Equipe de apoio
Ana Carolina Meira, Artur Renzo, Bibiana Leme, Camila Nakazone,
Clarissa Bongiovanni, Débora Rodrigues, Elaine Ramos, Frederico
Indiani, Heleni Andrade, Higor Alves, Isabella Marcatti, Ivam Oliveira,
Joanes Sales, Luciana Capelli, Marina Valeriano, Marlene Baptista,
Maurício Barbosa, Raí Alves, Talita Lima e Tulio Candiotto.

Crédito das imagens
capa: Baona/istockphoto; verso da capa: Edson Chagas; p. 2-3: Leandro
Taques; p. 14: Marcelo Camargo/Agência Brasil; p. 24: Romerito Pontes/
Creative Commons; p. 82: Rovena Rosa/Agência Brasil; p. 150: Marcelo
Camargo/Agência Brasil; p. 218: Rovena Rosa/Agência Brasil

CIP-BRASIL. CATALOGAÇÃO NA PUBLICAÇÃO
SINDICATO NACIONAL DOS EDITORES DE LIVROS, RJ

E26
Educação contra a barbárie : por escolas democráticas e pela liberdade de ensinar /
Alessandro Mariano ... [et al.] ; organização Fernando Cássio ; prólogo de Fernando
Haddad. - 1. ed. - São Paulo : Boitempo, 2019.
    (Tinta Vermelha)

  ISBN 978-85-7559-705-7

  1. Educação e Estado - Brasil. 2. Educação - Aspectos políticos. 3. Democratização
da educação. 4. Liberdade de ensino. I. Mariano, Alessandro. II. Cássio, Fernando.
III. Haddad, Fernando. IV. Série.

19-56782	CDD: 371.1
	CDU: 37.014.1

É vedada a reprodução de qualquer parte deste livro
sem a expressa autorização da editora.

1ª edição: maio de 2019;
1ª reimpressão: novembro de 2020;
2ª reimpressão: maio de 2021;
3ª reimpressão: janeiro de 2023;
4ª reimpressão: abril de 2023;
5ª reimpressão: setembro de 2024

BOITEMPO
Jinkings Editores Associados Ltda.
Rua Pereira Leite, 373
05442-000 São Paulo SP
Tel.: (11) 3875-7250 / 3875-7285
editor@boitempoeditorial.com.br
boitempoeditorial.com.br | blogdaboitempo.com.br
facebook.com/boitempo | twitter.com/editoraboitempo
youtube.com/tvboitempo | instagram.com/boitempo

Sumário

Prólogo

Fernando Haddad 11

Apresentação – Desbarbarizar a educação

Fernando Cássio 15

Parte I – A barbárie gerencial

Contra a barbárie, o direito à educação

Daniel Cara 25

Educação e empreendedorismo da barbárie

Carolina Catini 33

Vivendo ou aprendendo... A "ideologia da aprendizagem"
contra a vida escolar

Silvio Carneiro 41

Ensino médio: entre a deriva e o naufrágio

Ana Paula Corti 47

Educação a Distância: tensões entre expansão e qualidade

Catarina de Almeida Santos 53

Verdades e mentiras sobre o financiamento da educação

José Marcelino de Rezende Pinto 59

O ensino superior privado-mercantil em tempos
de economia financeirizada

Vera Lúcia Jacob Chaves 67

O público, o privado e a despolitização nas políticas educacionais

Marina Avelar 73

Parte II – A barbárie total

Educação na primeira infância: direito público × capital humano

Bianca Correa 83

Disputas em torno da alfabetização: quais são os sentidos?

Isabel Cristina Alves da Silva Frade 91

Homeschooling e a domesticação do aluno

Matheus Pichonelli 99

A militarização das escolas públicas

Rudá Ricci 107

Religiões afro-indígenas e o contexto de exceções de direitos

Denise Botelho 115

Guerra em campo aberto: as disputas pela mudança estrutural
do espaço intelectual brasileiro

Maria Caramez Carlotto 121

Obscurantismo contra a liberdade de ensinar

Alexandre Linares e José Eudes Baima Bezerra 127

A "ideologia de gênero" existe,
mas não é aquilo que você pensa que é

Rogério Diniz Junqueira 135

Paulo Freire, o educador proibido de educar

Sérgio Haddad 141

Parte III – Educação contra a barbárie

Escola e afetos: um elogio da raiva e da revolta

Rodrigo Ratier 151

Educação popular e participação social: desafios e propostas para hoje

Pedro de Carvalho Pontual 159

Recursos educacionais abertos: conhecimento como bem comum,
autoria docente e outras perspectivas

Bianca Santana 165

Educação indígena: esperança de cura para tempos de enfermidade
Sonia Guajajara 171
Pedagogia da resistência e o projeto educativo das escolas do MST
Alessandro Mariano 175
Muito além da escola: as disputas em torno do passado no debate público
Rede Brasileira de História Pública 181
O que aprendi (e o que não aprendi) na escola
Aniely Silva 187
Produção do conhecimento e a luta contra a barbárie na educação
Rede Escola Pública e Universidade 193
Educação democrática
bell hooks 199

Sugestões de leitura 209
Sobre as autoras e os autores 219

Prólogo
Fernando Haddad

Esta coletânea de ensaios sobre educação faz parte do esforço nacional de repor em bases minimamente civilizadas o debate sobre educação no Brasil.

É de se notar que, desde os protestos de junho de 2013, a educação tinha saído da agenda política do país. A cacofonia daquele momento não contemplou esta preocupação em particular. Diante da efervescência do período anterior (2004-12), o debate sobre o tema tinha perdido relevância, e o ativismo político neste particular teve caráter mais defensivo do que ofensivo, caso, dentre outros, da reação do movimento secundarista contra o fechamento de escolas públicas pelo governo do Estado de São Paulo. Outros temas ocuparam as ruas: corrupção, saúde, segurança e mobilidade urbana (este último rapidamente defenestrado).

O Congresso Nacional, por sua vez, demonstrou pouca disposição em seguir promovendo as reformas educacionais necessárias e, de fato, aprovou algumas leis importantes apenas porque tramitavam havia anos, quais sejam, a lei de cotas, de 2014, endereçada pelo executivo em 2004, e o Plano Nacional de Educação, de 2014, gestado com a sociedade civil e profissionais e ativistas da área, encaminhado pelo Executivo em 2010. Leis que consolidaram o marco legal de avenidas já abertas.

12 | Educação contra a barbárie

A chamada reforma do ensino médio, já sob Temer, foi feita por medida provisória – verdadeira aberração – sem nenhuma discussão com a comunidade educacional e totalmente desprovida de sentido que vertebrasse esta até hoje frágil etapa de ensino.

Eis que a eleição de Jair Bolsonaro recoloca com toda força o debate sobre educação na ordem do dia, mas de pernas para o ar. A laicidade da escola pública, o financiamento da educação, nosso patrono Paulo Freire, a figura da professora, o processo de socialização, a forma de incorporar tecnologias, a questão da diversidade, para ficar em alguns pontos, tudo é tomado por Bolsonaro pelo avesso do que é recomendado pela melhor referência teórica e empírica.

Nosso encontro com a educação é recente. Ele vinha produzindo bons resultados, sendo controverso apenas o ritmo da melhora. Com cinquenta anos de atraso, estávamos pelo menos tentando saldar nossa dívida para com a educação.

A vitória do ultraliberalismo obscurantista (prefiro a expressão neoliberalismo regressivo) nas últimas eleições deixou a comunidade de educadores apreensiva. Depois de algum oxigênio dado à educação desde 1988, mas, sobretudo, entre 2004 e 2014, o setor passou a conviver com a sensação de sufocamento. Objetivo e subjetivo. Material e psicológico. Escola sem Partido, militarização, imposição de métodos, revisionismo histórico, corte de verbas, negação da diversidade, tudo parece caminhar na contramão do que sucessivos governos pretenderam construir, obtendo mais ou menos êxito. Não se trata de uma agenda liberal contra uma "visão de esquerda", mas de uma agenda pré-moderna contra o próprio Iluminismo.

Não por outra razão, educadores comprometidos com os ideais emancipatórios esboçam reação às medidas disparatadas deste governo, obrigando-o, inclusive, a uma primeira troca de ministro no seu trimestre inaugural. A coletânea de textos aqui reunida insere-se nesse contexto. Ela é uma peça da tarefa de reorganização das forças progressistas em torno da retomada do desenvolvimento educacional.

Contando com autores que dedicaram a vida à causa educacional e que se debruçaram sobre alguns dos temas que têm despertado as maiores angústias, temos neste livro um conjunto de reflexões que promovem juízo crítico sobre o rumo dos acontecimentos no nosso país. Não é preciso concordar com todas as teses aqui apresentadas. Não apostaria sequer na hipótese de os autores concordarem entre si sobre os pormenores dos textos aqui apresentados. O que decididamente importa é o sentido do trabalho: negar ou, ao menos, problematizar o que vem sendo anunciado pelo atual governo. Impedir os retrocessos. E, se possível, organizar uma agenda de reivindicações para um setor que se encontra paralisado, entre incrédulo e estupefato, com anúncios diários de medidas sem nexo.

Mesmo tendo dedicado oito anos da minha vida exclusivamente à educação, aprendi muito com a leitura deste material. Fatos históricos, novas abordagens, evolução de conceitos: vale sempre a pena interagir com pessoas tão comprometidas com uma causa. É o caso deste livro. Ele é de enorme oportunidade. É uma peça de resistência e um convite ao engajamento.

Boa leitura!

Apresentação
Desbarbarizar a educação
Fernando Cássio

[...] desbarbarizar tornou-se a questão mais urgente da educação hoje em dia. [...] Entendo por barbárie algo muito simples, ou seja, que, estando na civilização do mais alto desenvolvimento tecnológico, as pessoas se encontrem atrasadas de um modo peculiarmente disforme em relação a sua própria civilização – e não apenas por não terem em sua arrasadora maioria experimentado a formação nos termos correspondentes ao conceito de civilização, mas também por se encontrarem tomadas por [...] um impulso de destruição, que contribui para aumentar ainda mais o perigo de que toda esta civilização venha a explodir [...].

Theodor W. Adorno, "A educação contra a barbárie", 1968[1]

---

[1] Theodor W. Adorno, "A educação contra a barbárie" [1968], em *Educação e emancipação* (São Paulo, Paz e Terra, 2006), p. 155-68.

16 | Educação contra a barbárie

Em um debate na rádio de Hessen, em 1968, o filósofo alemão Theodor Adorno refletia sobre as manifestações dos estudantes secundaristas da cidade de Bremen contra o aumento da tarifa dos transportes. Sua fala refutava o argumento demagógico de que aqueles protestos estudantis, por seu caráter desobediente, poderiam ser considerados formas de barbárie. O filósofo distinguia os modos de agir agressivos, mas politicamente refletidos, dos secundaristas, daquelas respostas repressivas desproporcionais e irracionais – barbárie – por parte do Estado. O debate radiofônico prosseguia em um esforço de definir a barbárie na educação – entre a competitividade, o produtivismo e a biologização dos processos educativos – como um fenômeno produzido pelos sistemas sociais.

No Brasil de hoje, as ameaças à educação não cansam de confirmar a hipótese adorniana de que é possível estar atrasado "de um modo *peculiarmente disforme* em relação a sua própria civilização"[2]. Se, como afirma o filósofo, os impulsos destrutivos são inerentes à própria civilização, precisamos nos convencer de que as lutas educacionais não podem cessar. As ameaças à educação brasileira exigem a nossa energia para pautar um debate público que, infelizmente, tem se mostrado quase sempre superficial e perigosamente homogêneo, dominado pelos discursos eficientistas do empresariado e de suas assessorias educacionais. A luta por escolas públicas democráticas, inclusivas, laicas e com liberdade de ensinar depende de nossa disposição para defender projetos educacionais radicalmente democráticos ante o que hoje, na educação brasileira, ganha evidentes contornos de barbárie. É preciso desbarbarizar a educação.

Em conjunto, os seis volumes anteriores da coleção Tinta Vermelha oferecem uma visão tão límpida quanto aguda do Brasil nestes últimos anos. De certo modo, *O ódio como política* (2018) já anunciava em seu último capítulo que a educação estava no horizonte de preocupações da coleção[3].

Os autores e autoras de *Educação contra a barbárie* não têm medo de dizer quem são os inimigos da educação no Brasil, de defender a educação como projeto coletivo e de se contrapor tanto às agendas educacionais ultraliberais, centradas na competitividade, quanto às ultraconservadoras e reacionárias, que consagram a família tradicional como unidade elementar de organização da sociedade.

---

[2] Ibidem, p. 155, grifos meus.

[3] Ver Fernando Penna, "O discurso reacionário de defesa de uma 'escola sem partido'", em Esther Solano Gallego (org.), *O ódio como política*: a reinvenção das direitas no Brasil (São Paulo, Boitempo, 2018, Coleção Tinta Vermelha), p. 109-13.

Os ensaios da primeira parte – "A barbárie gerencial" – expõem o embuste das agendas educacionais empresariais, cada vez mais capilarizadas e indistinguíveis das políticas educacionais oficiais. Os textos de Daniel Cara, Carolina Catini, Silvio Carneiro, Ana Paula Corti, Catarina de Almeida Santos, José Marcelino de Rezende Pinto, Vera Lúcia Jacob Chaves e Marina Avelar tratam daquilo que se apresenta na educação como "novo", "moderno", "eficiente", "eficaz" e "responsável" – mas que produz esfacelamento dos sistemas públicos de ensino, rebaixamento da formação escolar dos mais pobres, desqualificação da atividade docente, redução do financiamento público, pauperização das escolas e ampliação dos processos de privatização. As novidades mais recentes desse universo de aniquilamento da educação como bem público são as parcerias público-privadas para a "inovação" na gestão das redes de ensino, que irrigam os cofres de agentes financeiros sem qualquer vínculo com a educação. Essas parcerias envolvem desde *startups* educacionais que usurpam milhares de terabytes de dados de estudantes, professores e famílias nas redes públicas para melhor vender seus produtos, até a criação de intrincados esquemas de "finanças sociais" em que estudantes socialmente vulneráveis servem como cobaias (sem consentimento) de experimentos sociais em escolas públicas.

Esta primeira parte desafia a mesmice dos discursos de assessorias, movimentos, institutos e fundações educacionais do empresariado brasileiro, reiterados diariamente na imprensa como verdades naturais. Um exemplo é a ideia de que o problema do financiamento da educação pública no Brasil não seria de falta de dinheiro, mas de uma gestão inadequada de recursos[4]. Outro, é a obsessão com os indicadores de aprendizagem nas avaliações em larga escala, que constituem a grande pauta da imprensa de educação no Brasil. Só porque apresentados em infográficos coloridos, os números que escandalizam a opinião pública não necessariamente descrevem a realidade das escolas brasileiras[5]. A "ideologia da aprendizagem" não apenas reduz a complexidade dos problemas educacionais, mas também reforça a lógica individualista e concorrencial que leva pessoas e instituições educacionais a se acotovelarem entre si por um lugar mais ensolarado nos *rankings*. Para Adorno, cotoveladas são uma expressão da barbárie.

---

[4] Os porta-vozes do empresariado já vêm admitindo que o subfinanciamento público é um problema real da educação brasileira, mas esse reconhecimento é apenas um pretexto para propagandear mecanismos de financiamento misto (público-privados) para a educação pública.

[5] Todo mundo deveria ler o clássico de Darrell Huff, *Como mentir com estatística* (Rio de Janeiro, Intrínseca, 2016 [1954]).

18 | Educação contra a barbárie

Os textos também criticam os erros pretéritos das políticas educacionais brasileiras, a exemplo da fartura de incentivos estatais que hipertrofiou os conglomerados educacionais do ensino superior privado lucrativo, e que agora desenrolam seus tentáculos sobre a educação básica, seja formando oligopólios na educação privada, seja comercializando produtos para baratear a oferta pública. Entre as oportunidades perdidas dos últimos anos, dois ensaios desta primeira parte destacam a não implementação do Custo Aluno-Qualidade (CAQ), estratégia de equalização prevista no Plano Nacional de Educação 2014-2024, que visa assegurar um padrão de qualidade nas escolas do país. A primeira etapa do CAQ, o Custo Aluno-Qualidade Inicial (CAQi), não foi colocada em prática até 2016, passando a ser duramente combatida pelo fundamentalismo econômico ultraliberal dos governos Temer e Bolsonaro. O primeiro aprovou a Emenda Constitucional n. 95/2016 e o segundo alimenta a quimera de que garantir direitos sociais inscritos na Constituição é o mesmo que secundar as agendas da esquerda.

Dentro e fora dos governos, os artífices da barbárie gerencial recusam-se a entender que, por prescindirem das escolas reais, as suas milagrosas soluções e tecnologias "educacionais" simplesmente não funcionam. As causas dos fracassos são sempre depositadas em um objeto abstrato, problemático e difícil de tratar, chamado "escola pública". Os baixos salários dos profissionais da educação, a precária infraestrutura das unidades escolares e a situação econômica de estudantes e suas famílias são problemas secundários, porque obviamente incompatíveis com o projeto societário concentrador e autoritário dos donos do dinheiro no Brasil. A barbárie gerencial tenta destruir as escolas de fora para dentro.

A segunda parte do livro – "A barbárie total" – examina o projeto de arruinar as escolas a partir de dentro. Intimidação, perseguições e censura ao professorado, anti-intelectualismo, revisionismo histórico, negacionismo científico, militarização, movimentos antiescola, moralismo, machismo, misoginia, transfobia, intolerância religiosa, racismo – violência como currículo e ódio como pedagogia. Esse caldo pútrido, engrossado pela chegada de Jair Bolsonaro ao Palácio do Planalto e fermentado lentamente nas escolas e universidades brasileiras, é revolvido nos textos de Bianca Correa, Isabel Frade, Matheus Pichonelli, Rudá Ricci, Denise Botelho, Maria Carlotto, Alexandre Linares e Eudes Baima, Rogério Junqueira e Sérgio Haddad.

A militarização das escolas públicas, a educação domiciliar e o obscurantismo contra a liberdade de ensinar são tratados em ensaios específicos nessa segunda parte. O desprezo ao conhecimento é abordado a partir de múltiplos olhares: das disputas no campo intelectual brasileiro, da negação do conhecimento educacional no caso das políticas de alfabetização do governo Bolsonaro, do debate sobre o racismo religioso nas escolas, do *apedrejamento* de um educador e sua obra. Por falar em Paulo Freire, ele é o autor mais citado nos textos deste livro. Recentemente, alunos da Universidade Federal do ABC, onde trabalho, começaram a demandar aulas e palestras sobre Freire em disciplinas das licenciaturas em ciências e matemática, nas quais sua obra não era lida. Quanto mais se tenta desqualificar as ideias do educador, mais gente deseja conhecer o trabalho dele. Às ondas da barbárie sempre refluem resistências.

Esse segundo conjunto de textos também traz uma crítica contundente às agendas empresariais para a educação na primeira infância, problematizando a concepção burguesa e machista de que bebês e crianças devam ser cuidados em casa por suas mães até certa idade, enquanto milhares de famílias esperam por vagas em creches públicas por todo o Brasil. O desvio da pauta da educação na primeira infância para o âmbito da assistência social, pavimentado no governo Temer, se aprofunda no governo Bolsonaro sob o Ministério da Mulher, da Família e dos Direitos Humanos, dirigido por Damares Alves. A célebre frase proferida pela ministra – "menino veste azul e menina veste rosa" – anima outro ensaio da segunda parte, que mostra que a "ideologia de gênero" não é exatamente aquilo que se pensa.

A disputa da escola e a retomada da pedagogia é o que move os ensaios da terceira parte – "Educação contra a barbárie". Os textos de Rodrigo Ratier, Pedro Pontual, Bianca Santana, Sonia Guajajara, Alessandro Mariano, Rede Brasileira de História Pública, Aniely Silva, Rede Escola Pública e Universidade e bell hooks enfrentam o debate pedagógico que os arquitetos da barbárie educacional se esforçam diuturnamente para esterilizar. Diferentemente das investidas midiáticas em favor de soluções gerenciais como a reforma do ensino médio e a Base Nacional Comum Curricular (BNCC)[6], o embate mais ardente de ultraconservadores e reacionários pela pedagogia e pelo currículo é travado no interior das escolas.

É preciso discutir as escolas e, sobretudo, fazer isso coletivamente. Muita gente, especialmente no campo da esquerda, celebra as ocupações secundaristas no Brasil como um momento áureo de insurreição e de novidade tática no repertório dos movimentos sociais. Mas o que os secundaristas realmente fizeram foi tomar para si o debate pedagógico e propor alternativas para uma escola

---

[6] Sobre a BNCC, ver Fernando Cássio e Roberto Catelli Jr. (org.), *Educação é a Base? 23 educadores discutem a BNCC* (São Paulo, Ação Educativa, 2019).

20 | Educação contra a barbárie

pública tratada como sala de espera da marginalização social. Desbarbarizaram pela via da insurgência. É por isso que Adorno não classifica todo ato violento como barbárie: romper cadeados, forçar portas, arrombar portões. A barbárie, por outro lado, é sempre um ato de violência[7].

A última parte começa com um elogio da raiva e da revolta, uma recusa categórica das tecnologias empresariais de domesticação e de autocontenção denominadas "habilidades socioemocionais". As pedagogias da resistência, sob inédito bombardeio no governo Bolsonaro, são reivindicadas em ensaios sobre o projeto educativo das escolas do MST, a educação indígena e a participação social na educação. O debate sobre a produção do conhecimento, que também aparece em alguns textos da segunda parte, aqui é levantado em capítulos sobre as disputas em torno do passado, a respeito de recursos educacionais abertos e sobre a produção do conhecimento educacional *para*, *com* e *na* luta educacional. A experiência das ocupações escolares aparece em um ensaio produzido por uma ex-ocupante, e o tema do último capítulo não poderia ser mais adequado para encerrar um livro como este: educação democrática.

A luta contra o assédio e a perseguição aos profissionais da educação por movimentos de censura já está em curso nas escolas e universidades do Brasil. O discurso dos que clamam por uma "escola sem partido" – pela via da perseguição política ou do fundamentalismo religioso – tem sido sistematicamente combatido dentro e fora das instituições educacionais[8].

Muitas vezes, as guerras culturais nas escolas e universidades posicionam educadores progressistas e reformadores empresariais em um mesmo lado da disputa, o que tem confundido o debate público e criado a ilusão de que todos estão igualmente engajados em desbarbarizar a educação brasileira, de que estão "todos pela educação". Não nos enganemos. Há múltiplos projetos de aniquilação da educação pública em curso no Brasil. Eles divergem em relação à forma de operar essa destruição, mas trabalham articulados para dissolver o pacto social estabelecido pela Constituição de 1988. A barbárie

---

[7]   Ver Bruno Pucci, "Educação contra a intolerância", em Altair Alberto Fávero, Cláudio Almir Dalbosco e Telmo Marcon (org.), *Sobre Filosofia e Educação*: racionalidade e tolerância (Passo Fundo, RS, Editora UPF/DAAD, 2006), p. 404-18. Disponível em: <http://www.unimep.br/~bpucci/educacao-contra-a-intolerancia.pdf>.

[8]   Destaco a importante iniciativa do *Manual de defesa contra a censura nas escolas*, disponível em: <http://www.manualdedefesadasescolas.org/manualdedefesa.pdf>. Uma lista de leituras sobre o assunto, disponibilizada pelo coletivo Professores Contra o Escola Sem Partido, está disponível em: <https://profscontraoesp.org/bibliografia-referencias-academicas>. Algumas delas também aparecem na lista de sugestões de leitura que encerra este livro.

gerencial não é "menos pior" por agir dentro de certos padrões de racionalidade. Por seu tecnicismo aparentemente despolitizado e deliberadamente incompreensível para a maioria, ela é ainda mais pérfida. Não custa lembrar que os jovens negros encarcerados ou assassinados pelo Estado são os mesmos a quem este Estado não garantiu o direito à educação. O recrudescimento dessa tragédia se dá com o beneplácito de todos os que trabalham para desconstruir a educação como direito no Brasil.

Em graus variáveis de otimismo, todos os autores e autoras deste livro sublinham a urgência de priorizar as lutas educacionais. Os textos refletem a coerência política de seus autores no enfrentamento do debate público da educação. Curtos e provocativos, instigam a vontade de conhecer mais sobre os assuntos tratados. Por isso incluímos no final deste volume uma lista de leituras complementares sugeridas pelos próprios autores e autoras.

Agradeço a Ivana Jinkings e a André Albert – e a toda equipe da Boitempo Editorial – pelo rigor e pela agilidade no trabalho sem os quais não seria possível produzir *Educação contra a barbárie* em poucos meses. E a Tiago Ferro, pela leitura minuciosa dos originais. Também saúdo Fernando Haddad e Mario Sergio Cortella, por suas valiosas contribuições no prólogo e na quarta capa deste volume. Por fim, agradeço especialmente à generosidade de autores e autoras que abriram mão do pagamento pelos direitos autorais de seus textos para produzirmos um livro de custo baixo e, esperamos, de grande circulação. Que ele possa intervir nos debates da educação brasileira e estimular – nas instituições de ensino e na sociedade – a luta *por escolas democráticas e pela liberdade de ensinar.*

No Brasil de hoje, desbarbarizar tornou-se a questão mais urgente da educação.

São Paulo, abril de 2019

PARTE I

A BARBÁRIE GERENCIAL

Contra a barbárie, o direito à educação
Daniel Cara

A educação transforma o mundo?

Nelson Mandela, em 2003, proferiu a frase que tem sido utilizada para sintetizar seu legado: "A educação é a arma mais poderosa que você pode usar para mudar o mundo". Embora marcante, essa sentença não está entre as minhas preferidas. Sem qualquer bom-mocismo, e mesmo compreendendo a mensagem, não considero frutífero reduzir a educação a uma arma. Não obstante, a frase de *Tata Madiba* evidencia algo que há tempos povoa o senso comum sobre educação: ela seria, em si, uma força transformadora da sociedade. Para decidir se – ou em que medida – isso é verdade, é preciso primeiro definir o que é educação.

Arriscando um conceito geral, é possível afirmar que educação é *apropriação de cultura*, de tudo aquilo que o ser humano criou e cria para além da natureza. As comunidades, as sociedades, os Estados, as línguas, as linguagens, os valores, as religiões, as artes, as ciências, os esportes, a democracia e todas as outras formas de deliberação e de organização da administração pública e do poder; enfim, tudo que é criado pelos seres humanos pode ser chamado de cultura e são expressões vivas da história de um povo, de alguns povos, de muitos povos e, em alguns casos, de toda a humanidade[1].

Karl Marx diz que o uso e a criação de meios de trabalho, ou instrumentos de trabalho, "é uma característica específica do processo de trabalho humano, razão pela qual [Benjamin] Franklin define o homem como *a toolmaking animal*, um animal que faz ferramentas"[2]. O trabalho, compreendido por Marx como a ação orientada a um determinado fim, é o meio pelo qual os seres humanos elaboram e constroem a cultura para interagir com a natureza e, em certo sentido, "superá-la".

Para Paulo Freire, a apropriação da cultura deve ser plena, crítica e reflexiva, sendo parte fundamental da condição humana. Ele dirá que o objetivo da educação é a emancipação das mulheres e dos homens com base no exercício livre e autônomo da leitura do mundo, de forma que cada pessoa tenha condições concretas de construir, com liberdade, a sua própria história[3].

A educação se concretiza por meio de processos educativos, sistematizados ou não, que se dão nos diferentes espaços da vida cotidiana. A escola é a instituição criada com o objetivo de socializar saberes e conhecimentos historicamente acumulados, mas também de construir outros. Assim, ela tem o papel de criar as condições para os(as) estudantes se apropriarem da cultura, até mesmo reinventando-a. Nesse sentido, o aprendizado é a apropriação individual da cultura ensinada, ao passo que o ensino é o trabalho das educadoras e dos educadores para facilitar a aprendizagem dos(as) estudantes. Precisamente, portanto, nas escolas se realiza o processo de ensino-aprendizagem.

O direito à educação é, em um sentido geral e por consequência, o direito de todas as pessoas se apropriarem da cultura, por essa apropriação ser parte essencial da condição humana e uma necessidade para o pleno usufruto da vida. Por isso, o direito à educação é, concretamente, um direito humano.

Finalmente, para o direito à educação se realizar são necessários dois esforços – ou dois trabalhos, tomados aqui como atividades orientadas a fins específicos: o trabalho do(a) educador(a) de ensinar (ou educar) e o trabalho do(a) estudante (educando(a)) de aprender.

---

[1]   Sobre os conceitos de educação e cultura, ver o conciso livro de Vitor Henrique Paro, *Educação como exercício de poder*: crítica ao senso comum em educação (São Paulo, Cortez, 2010).

[2]   Ver Karl Marx, *O Capital*: crítica da economia política, livro I (São Paulo, Boitempo, 2013), p. 257.

[3]   Ver Paulo Freire, *Pedagogia do oprimido* (Rio de Janeiro, Paz e Terra, 1987).

O direito à educação transforma o mundo

A pergunta decorrente da frase de Mandela persiste: em que medida a educação transformaria o mundo?

Apesar de a Constituição Federal de 1988 não apresentar uma concepção objetiva de educação, ela oferece um caminho para a resposta. Em seu artigo 205, a Carta Magna estabelece que, no Brasil, a educação visa ao *pleno desenvolvimento da pessoa, seu preparo para o exercício da cidadania e sua qualificação para o trabalho.*

Ao delegar à educação essa tripla missão, que é encadeada, progressiva e complementar, a perspectiva presente na Constituição reafirma o conceito de educação como apropriação da cultura. Essa apropriação, capaz de garantir uma leitura crítica do mundo – emancipada e emancipadora –, segundo os ensinamentos de Paulo Freire, é condição necessária para a própria realização da missão constitucional da educação.

Já seria possível ensaiar uma resposta à pergunta decorrente da frase de Mandela: *a educação transforma o mundo quando pautada na realização do direito humano à educação*. Em outras palavras, a educação transforma o mundo quando o direito de as pessoas se apropriarem da cultura se realiza plenamente.

O problema, no caso brasileiro, é que as políticas educacionais, compreendidas como as ações dos governos relacionadas à educação, perseguem caminhos diferentes daquele traçado pela Constituição. Hoje, quando muito, as políticas educacionais das forças hegemônicas têm reduzido a educação a um insumo econômico ou a uma estratégia disciplinadora doutrinária. Esses são os resultados das ações dos ultraliberais e dos ultrarreacionários, respectivamente.

Ultraliberais e ultrarreacionários contra o direito à educação

No Brasil, a aliança entre o ultraliberalismo[4] e o ultrarreacionarismo[5] conquistou hegemonia política em 2016. Sob Temer, o ultraliberalismo teve precedência. Sob Bolsonaro, ocorre o inverso. A coalizão não é pacífica, e em-

---

[4]   Ideologia política pautada na radicalização da agenda liberal, com drástica redução do papel do Estado, inviabilizando direitos sociais sem qualquer comedimento em relação às condições de vida do povo. É um freio à democracia social e não deixa de ser uma cosmologia econômica.

[5]   Ideologia política pautada na negação da ciência, no retrocesso social e no questionamento de direitos civis e políticos de supostas minorias sociológicas. É uma cosmologia moralizante, normalmente vinculada ao fundamentalismo cristão, ainda que negue os princípios teológicos do próprio cristianismo. Busca frear a democracia, afirmando uma agenda classista, racista, machista, homofóbica, misógina e oposta à laicidade do Estado.

28 | Educação contra a barbárie

bora seja marcada por idas e vindas e acusações mútuas, ela não deixa de cumprir com o principal: enfraquecer as instituições, frear a democratização da sociedade brasileira e desconstruir o que se avançou em direção ao Estado de bem-estar social projetado pela Constituição Federal de 1988.

Para os ultraliberais, a educação se reduz essencialmente a um insumo econômico. Não é à toa que a régua para medir a qualidade desse insumo, padronizado internacionalmente, é determinada pelo resultado médio do país no Programme for International Student Assessment (Pisa)[6]. O Pisa é uma iniciativa da Organização para a Cooperação e Desenvolvimento Econômico (OCDE), organização internacional pautada na economia de mercado, que fornece uma plataforma para comparar e padronizar programas econômicos, propor soluções liberalizantes e coordenar políticas públicas domésticas e internacionais.

O Brasil ingressou no Pisa em 2000, durante o governo Fernando Henrique Cardoso. O ministro da educação era Paulo Renato Souza. Em 2007, no início do segundo mandato de Luiz Inácio Lula da Silva, o então ministro da Educação, Fernando Haddad, criou o Índice de Desenvolvimento da Educação Básica (Ideb) e estabeleceu metas de desempenho pautadas no Pisa para os(as) estudantes. As políticas educacionais aprovadas por Michel Temer, como a Base Nacional Comum Curricular (BNCC), da educação infantil ao ensino médio, e a reforma do ensino médio, tiveram a melhoria dos resultados no Pisa como argumento.

Sem entrar no mérito daquilo que é efetivamente mensurado pelo Pisa, a questão é que suas medidas não levam em conta as condições de trabalho dos educadores, que enfrentam baixas remunerações, carreiras pouco atrativas, salas de aula superlotadas e escolas com infraestrutura indigna. Tudo isso impossibilita a realização do processo de ensino-aprendizagem. A mesma OCDE, em seus relatórios anuais, vem afirmando que o Brasil investe menos do que o necessário por aluno da educação básica pública.

O absurdo é patente. Os ultraliberais, capitaneados pela elite econômica – sobretudo a elite financeira –, tratam o Pisa como referência, fazendo uso da cosmologia econômica da OCDE, mas não permitem o investimento adequado na educação básica. Segundo o Plano Nacional de Educação 2014--2024, isso deveria se dar pela implementação do Custo Aluno-Qualidade inicial (CAQi) e do Custo Aluno-Qualidade (CAQ)[7], bases fundamentais para a

---

[6]   Programa Internacional de Avaliação de Estudantes, em tradução livre.

[7]   Ver Campanha Nacional pelo Direito à Educação, *O CAQi e o CAQ no PNE*: quanto custa

demanda de investimento na ordem do equivalente a 10% do PIB em políticas educacionais, dedicadas tanto à educação básica quanto à educação superior.

O CAQi determina que todas as escolas públicas de educação básica (da creche ao ensino médio) contem com profissionais da educação bem remunerados, com política de carreira e formação continuada. Em todas as unidades escolares o número de alunos por turma também deve ser adequado, evitando salas superlotadas. E todas as escolas devem ter água potável, energia elétrica, além de insumos como bibliotecas, laboratórios de ciências e de informática, internet rápida e quadra poliesportiva coberta, bem como todos os recursos para a realização de seu projeto político-pedagógico. Já o CAQ representa o esforço financeiro capaz de aproximar o Brasil do padrão de investimento dos países mais desenvolvidos em termos educacionais, melhorando substantivamente a remuneração dos(as) profissionais da educação. Portanto, o CAQi é uma etapa para o CAQ.

Os ultraliberais não querem o CAQi porque ele demanda um investimento imediato de cerca de 1% do PIB, a mais, em educação básica pública – aumentando o orçamento nominal da educação. Contudo, o CAQi é um instrumento de equidade. Das 184 mil escolas públicas brasileiras, apenas 0,6% correspondem ao seu padrão de qualidade, segundo levantamento da Campanha Nacional pelo Direito à Educação.

Como a educação é considerada um insumo econômico – ou seja, um fator que impulsiona a economia –, para resolver o problema do baixo desempenho, movimentos, institutos e fundações empresariais que atuam com *lobby* na área elaboram todo tipo de estratégia para a melhoria dos resultados brasileiros nos testes padronizados – como a Prova Brasil, que é parte constituinte do Ideb, e o Pisa. Ao cobrarem resultados de "aprendizagem" de estudantes e dos sistemas públicos de ensino, sem reivindicar, na mesma proporção, escolas públicas dignas e condições adequadas de trabalho para os educadores, os movimentos, institutos e fundações empresariais tornam-se, na prática, "inimigos íntimos da educação" – parafraseando o título do livro de Tzvetan Todorov[8] sobre a democracia. Ou seja, dizem defender a área, cobram desempenho dos(as) estudantes, mas jamais contrariam os interesses e as agendas dos empresários que os sustentam.

---

a educação pública de qualidade no Brasil? (São Paulo, Campanha Nacional pelo Direito à Educação, 2018); disponível em: <http://www.custoalunoqualidade.org.br/pdf/quanto-custa-a-educacao-publica-de-qualidade-no-brasil.pdf>.

[8] Tzvetan Todorov, *Os inimigos íntimos da democracia* (São Paulo, Companhia das Letras, 2012).

Mas este é só um prelúdio. Tudo piora, ou fica mais evidente, quando os empresários avançam e utilizam essa "ideologia da aprendizagem" para obter lucro, reduzindo de forma cínica o direito à educação ao "direito a aprender". Nesse comércio global, movimentos, institutos e fundações empresariais transformam-se em promotores de venda de soluções e tecnologias educacionais, de procedência nacional ou estrangeira[9].

Pensar a educação como insumo econômico já significaria, por si só, uma forma de negar o direito à educação. Mas a análise fica mais complexa quando nos damos conta de que vivemos em um país que se desindustrializa desde a década de 1980. Portanto, a função produtiva da educação vem se tornando cada vez mais limitada. Hoje a economia brasileira está alicerçada no setor de serviços, que é insuficientemente dinâmico. E o mercado de trabalho se precariza (ou *uberiza*) rapidamente após a reforma trabalhista de Michel Temer.

Emerge daí uma equação que, embora estranha, não é difícil de entender. Em 2018, o Brasil investiu cerca de R$ 272 bilhões em educação básica pública. Na perspectiva do direito à educação, considerando as necessidades e a dívida histórica do Brasil com a educação, esse montante é insuficiente: é preciso criar novas matrículas da creche à pós-graduação, além de melhorar a qualidade da educação como um todo. Contudo, como os ultraliberais não admitem aumentar recursos para a área, até porque isso não se conforma ao atual projeto econômico brasileiro, eles buscam: 1) orientar – via *lobby* de seus movimentos, institutos e fundações empresariais – como os recursos públicos devem ser gastos, sob o argumento de que é possível fazer mais com menos; 2) apropriar-se da maior parte possível desses recursos vendendo seus produtos e consultorias.

Ao colidir com políticas justas e universalizantes como o CAQi e o CAQ, a narrativa educacional ultraliberal reduz o alcance do direito à educação, elaborando um falacioso "direito a aprender", que reduz o trabalho do professor e a própria pedagogia. Sua cosmologia econômica discursa em nome do avanço da "aprendizagem", mas tem como objetivo final a dominação programática e financeira do Estado brasileiro no tocante à matéria educacional.

Se para os ultraliberais a educação é antes um insumo econômico e, depois, pode ser uma oportunidade de negócios, para os ultrarreacionários é uma estratégia de dominação política. A militarização de escolas e projetos

---

[9]   Para uma análise sobre a emergência da razão mercantil na gestão da educação nos Estados Unidos, ver Diane Ravitch, *Vida e morte do grande sistema escolar americano*: como os testes padronizados e o modelo de mercado ameaçam a educação (Porto Alegre, Sulina, 2011).

como o Escola sem Partido servem a um propósito pontual: ampliar o alcance da mensagem ultraconservadora, conquistar novos adeptos e fidelizar militantes. A estratégia é submeter as comunidades escolares e a sociedade a um intenso pânico moral e ideológico, criando uma falsa oposição entre pedagogia e disciplina. Na prática, promovem o autoritarismo que, por definição, coíbe a apropriação da cultura de forma livre e emancipada.

Juntos e articulados, ultraliberais e ultrarreacionários pretendem destruir o pacto social estabelecido pela Constituição Federal de 1988.

Contra a barbárie, o direito à educação!

Em termos práticos, o caminho para o enfrentamento da barbárie na educação é a união política em torno da consagração do direito à educação, na forma do cumprimento inequívoco da Constituição Federal de 1988. Ou seja, tanto não podemos permitir que a educação seja barbarizada, como devemos utilizar a educação precisamente como instrumento de luta e de liberdade contra a barbárie. Para isso, o direito à educação deve ser nossa pauta de ação.

Educação e empreendedorismo da barbárie

Carolina Catini

Nunca fomos tão educados e, no entanto, nunca fomos tão privados de formação. E o que poderia parecer uma contradição absurda é, na verdade, apenas um resultado da captura da forma e da função da educação pelo progresso do capital. A reificação dos objetivos da educação – que já se impunha nos tempos de ampliação dos direitos sociais – foi incrementada por novas tecnologias de gestão da educação, instaladas paulatinamente num contexto de crise econômica. O caráter conservador, e com elementos fascistas, das relações sociais atuais tende a ampliar o controle material e político da educação e, portanto, do trabalho educativo.

Se hoje tais relações sociais podem ser espelhadas em personificações do autoritarismo de figuras que chegaram ao poder, não é daí que elas germinaram. Antes, o cimento dessa *fasticização* se formou desde baixo, calcado na materialidade das relações sociais objetivas, e sua argamassa foi assentada por uma miríade de organizações sociais que passaram a compor um Estado ampliado. Embora voltadas a coletivos e grupos sociais, tais organizações reforçam a crescente atomização das demandas individuais, assumindo o papel de prestadoras de serviços e mantendo distintos graus de heteronomia daqueles a

34 | Educação contra a barbárie

quem se dirige os serviços: o educando, o público-alvo, o beneficiário, o cidadão. E também as "bases", pois é forçoso admitir que parte das organizações populares que lutam por direitos foi moldada por tal forma social hegemônica. E praticamente nenhum direito social hoje, nem mesmo aqueles conquistados pelas lutas populares, é gerido sem a mediação de organizações privadas.

À primeira vista, não haveria relação entre um ordenamento democrático em que entidades de direito privado se unem para garantir direitos e relações sociais com tendências fascistas. Mas é preciso observar os efeitos da negação da autonomia, associada ao controle social por interesses privados. Ao definir o fascismo em três palavras, João Bernardo[1] distingue a organização estatal do movimento social fascista: a *revolta na ordem* se manifesta desde baixo, quando as próprias condições de sobrevivência empurram as vidas de trabalhadores umas contra as outras. Isto ocorre em contextos históricos distintos, mas de toda forma "a ordem é o Estado". Um Estado amplo, que oferece o quadro e as modalidades de hétero-organização de uma classe convertida em massa, fragmentada e atomizada em indivíduos particulares, ligados apenas pela concorrência exacerbada e diante da degeneração da capacidade de auto-organização e de vínculos de solidariedade entre quem vive da alienação de sua própria força de trabalho, num cenário de precariedade e massivo desemprego.

Adorno considerava a sobrevivência de elementos fascistas no interior da democracia "como mais potencialmente ameaçadora do que a sobrevivência de tendências fascistas *contra* a democracia"[2]. Em contexto distinto, mas com alguma similitude, Paulo Arantes interpreta o que restou da ditadura na democracia brasileira. Dentre as muitas formas que estruturam jurídica e economicamente as "afinidades eletivas entre Capitalismo e Exceção" desde então, conclui que "a exceção brasileira de hoje não é só mero decalque da anterior, mas excede em esferas inéditas de tutela", e uma das formas de aparecimento de "um estado de emergência permanente" está na "consagração da lógica empresarial como prática administrativa do setor público". Acompanhando sua análise, a reforma gerencial dos anos 1990 apenas atualiza e coloca em prática a estrutura legalizada desde a ditadura[3].

---

[1]   João Bernardo, *Labirintos do fascismo*: na encruzilhada da ordem e da revolta. (3. ed. rev. e aumentada, Lisboa, Edição do autor, 2018); disponível em: <goo.gl/6Dx5Sk>.

[2]   Theodor W. Adorno, "O que significa elaborar o passado", em *Educação e emancipação* (Rio de Janeiro, Paz e Terra, 2000), p. 30.

[3]   Paulo Arantes, "1964", em *O novo tempo do mundo* (São Paulo, Boitempo, 2014), p. 302, 301 e 298, respectivamente.

Pela mimese da produtividade empresarial, a lógica de gestão educacional com estabelecimento de metas, avaliação sistemática do rendimento escolar, responsabilização individual pelo sucesso ou fracasso ampliou o domínio dos resultados sobre o processo, reduzindo o trabalho educativo ao produto, num movimento fetichista bastante conhecido. Seus efeitos práticos são ainda mais perversos pela naturalização de uma relação educativa que, em conjunto com a transferência da responsabilidade dos direitos sociais para o setor privado, criou as bases para que a relação mercantil e produtiva deixe de ser um simulacro e a subsunção da educação ao capital se dê completamente.

Há tempos que os serviços sociais de educação e, portanto, sua gestão, não podem mais ser observados apenas pelas redes de ensino formais. É verdade que a reorganização e a eliminação de vagas escolares para a juventude – contra as quais os secundaristas se levantaram na luta das ocupações de escolas em todo o país em 2015 – têm crescido de modo alarmante e ao mesmo tempo sorrateiro, uma vez que as atenções se desviaram para o espetáculo da bizarra gestão estatal que se instaurou. A pergunta sobre para onde estão indo os jovens expulsos da escolarização só pode ser respondida pela trilha de dois caminhos paralelos: pelo lado do terror mais explícito, a juventude pobre está sendo atingida pelo genocídio ou pelo encarceramento em massa nas "masmorras do subproletariado"[4]. Os números de ambos os processos são equivalentes aos de uma guerra civil, mas foram introduzidos na nossa vida como uma lei natural, marca profunda da indiferença que por si só já é um índice da barbárie. Pelo outro lado, digamos, "democrático", os jovens têm parte de suas demandas cobertas por toda essa estrutura criada pelas organizações privadas que investem na prestação dos serviços que funcionam como direitos sociais. A comunhão nefasta dos dois processos se dá em experimentos como o das UPPs sociais, que Marielle Franco analisa como militarização do trabalho social. Aqui, as empresas privadas colocam em prática a pacificação pelo ensino do empreendedorismo, em parceria com o controle total do trabalho comunitário pela "polícia de proximidade"[5]. O esquecimento da longevidade da política de gestão do Estado pela violência é um sintoma da necessidade de anular

---

[4] Loïc Wacquant, *Punir os pobres*: a nova gestão da miséria nos Estados Unidos (Rio de Janeiro, Revan, 2003).

[5] Marielle Franco, *UPP – A redução da favela a três letras*: uma análise da política de segurança pública do estado do Rio de Janeiro (Dissertação de Mestrado em Administração, Niterói, RJ, Universidade Federal Fluminense, 2014); disponível em: <https://app.uff.br/riuff/bitstream/1/2166/1/Marielle%20Franco.pdf>.

36 | Educação contra a barbárie

da elaboração teórica as contradições de um processo histórico que a incluiu como método de apassivamento dos conflitos sociais. Se pode ser considerada uma novidade a explícita "barbárie da gestão" atual, ela não seria possível sem a "gestão da barbárie" do período anterior.

O fato é que não há nenhum instituto ou fundação empresarial na direção das reformas educativas atuais que não tenha passado mais de década educando jovens nas periferias ou que não tenha passado a controlar o trabalho de ONGs por meio de seus editais próprios. Onde não há oferta de ensino público integral, há educação integral por meio de atividades que se desenrolam no contraturno escolar. De qualquer forma, a "desigualdade é a meta"[6]. Nesse quadro, a gestão estatal-empresarial da educação, a um só tempo, tutela a formação da juventude trabalhadora e estabelece os critérios para a reorganização da divisão e das relações de trabalho. Com a experiência adquirida na educação não formal realizada por tais entidades privadas e com as infinitas possibilidades de "inovação" no campo do trabalho informal e precário, a gestão empresarial dos sistemas de ensino já conta com um vasto acúmulo de meios de disciplinamento estudantil para as formas contemporâneas do trabalho. Resta, no entanto, eliminar a barreira da atual organização burocratizada da escola, com um quadro significativo de servidores ainda estáveis e com relativa autonomia, distantes de um regime de automação em que a obediência à objetividade da máquina "é o único meio de se obter resultados desejados".[7]

As fundações e institutos empresariais estão seguindo à risca as linhas para aproximar o trabalho docente dos modos de realização dos trabalhos de serviços precários, intermitentes e *uberizados*. A terceirização do trabalho educativo é o próximo passo da privatização da gestão de escolas e sistemas de ensino: "reduzir ou eliminar a estabilidade no emprego, aumentar a supervisão e dar poder aos clientes (pais e alunos) para monitorar ou avaliar os professores"[8] são algumas das principais estratégias do Banco Mundial para a educação

---

[6] Eduardo Donizeti Girotto e Fernando L. Cássio, "A desigualdade é a meta: implicações socioespaciais do Programa Ensino Integral na Cidade de São Paulo", *Arquivos Analíticos de Políticas Educativas*, v. 26, n. 109, 2018; disponível em: <https://epaa.asu.edu/ojs/article/viewFile/3499/2121>.

[7] Herbert Marcuse, *Tecnologia, guerra e fascismo* (São Paulo, Editora Unesp, 1999), p. 80.

[8] Barbara Bruns e Javier Luque, *Professores excelentes*: como melhorar a aprendizagem dos estudantes na América Latina e no Caribe (Washington, DC, World Bank, 2015), p. 43, grifos no original. Disponível em: <https://openknowledge.worldbank.org/bitstream/handle/10986/20488/Great Teachers_Portuguese.pdf?sequence=7&isAllowed=y>.

básica. A avaliação onipresente e a seletividade negativa[9], que é a prática de eliminar trabalhadores apenas para manter uma taxa segura de transitoriedade no posto de trabalho, garante o tormento da instabilidade e o engajamento constante para manter-se empregado. Já a capacitação dos "clientes" para monitorar os professores, colocada em prática pelo movimento Escola sem Partido, combina a repressão política, moda atual contra os críticos e marxistas, com a opressão econômica de longa data. Porque não há maior doutrinação ideológica do que a doutrina do mercado. Em todo caso, empreendedorismo é a palavra de ordem. Afinal, como formar trabalhadores acostumados à precariedade inserindo-os cotidianamente numa forma social estável como a escola atual? Introduzir empreendedorismo no trabalho educativo é a solução para ensinar pela prática que é natural aderir à competitividade para poder sobreviver: um ótimo método para a pacificação social via assimilação individual da ideologia.

Não é por acaso que vivemos um surto de investimento na formação de diretores e professores (gestores), nas terceirizações da gestão e em tecnologia, que aparecem sob a forma de softwares de controle do trabalho, digitalização e *gamificação* de conteúdos escolares. A Base Nacional Comum Curricular (BNCC) prescreve em tantas minúcias as habilidades e competências que devem ser adquiridas com cada conteúdo escolar, que facilmente poderia ser veiculada por um aplicativo, transformando o professor num apêndice das máquinas[10]. Mas para além da formação do trabalhador com habilidades de sobreviver com pouco, a redução dos conteúdos escolares a práticas comportamentais e emocionais também evidencia a alteração da função da educação. Num dos cursos gratuitos oferecidos para diretores de uma rede estadual, a presidente de uma grande fundação empresarial deixa claro o objetivo das mudanças na gestão da educação: "Se nossas escolas e nossas empresas não recrutarem os jovens, o PCC vai recrutar". A educação dispensa conteúdos escolares também porque se tornou objeto da assistência social e da "segurança pública".

A revolta dentro da ordem conservadora não se manifesta somente pelo conformismo, mas pela adesão que reflete um desejo de ordenamento radical pelo controle policialesco e pela concorrência. A objetividade e a subjetividade individuais se encontram no terreno assombroso da eliminação do outro como necessidade e como consequência última da competição. No contexto atual, o "horizonte de superação do modo de produção brutal a que estamos

---

[9] Silvia Viana, *Rituais de sofrimento* (São Paulo, Boitempo, 2013).

[10] Karl Marx, "Maquinaria e a indústria moderna", em *O Capital*: crítica da economia política, livro I (São Paulo, Boitempo, 2013).

submetidos desaparece graças à própria exposição sem rodeios de sua brutalidade aniquiladora", como diz Silvia Viana[11].

O caráter do neoliberalismo totalitário de que falam Dardot e Laval[12] espraia-se por meio da formação para a competição sem peias entre os sujeitos empresariais, mas também entre empresas, corporações e entre organizações da sociedade civil. Num terreno de escassez, os objetos de disputa se multiplicam. Entre os gestores da barbárie se disputam consumidores, nichos de mercado, públicos-alvo, recursos estatais, o investimento mais certeiro no mercado financeiro. Entre os organizados pela barbárie, disputa-se trabalho, mas também direitos sociais. Da passagem dos direitos universais para os direitos focais, há um sentido que reflete o ocaso da noção de equivalência entre cidadãos. A desigualdade não se dá mais apenas hierarquicamente, entre as classes, mas também horizontalmente, por dentro delas, dividindo-nos ainda mais. Como a realização do direito depende da compra e venda de prestação de serviços sociais por entidades privadas, ela se dá de modo tão intermitente quanto o trabalho. Neste quadro de privatização dos direitos sociais, a demanda por eles agrava a situação de heteronomia da gestão da vida e da competitividade entre necessidades desiguais. Na demanda por direitos sociais privatizados se encontra uma saída para a sobrevivência temporária, mas também uma nova divisão radical entre os que tem chance ou não de se inserir na sociedade. Menegat já havia destacado que para que esse terror funcione como ordenamento social, "ele deve ser geral, mas hierarquizado", pois "há sempre a possibilidade de alguém ou um grupo estar vivendo pior do que você"[13]. O ódio manifesto por quem acessa programas de auxílio social como o Bolsa Família mostra que há um entendimento de que aquele que não está apto para ser inserido na produção de valor não deve acessar os meios de reprodução social.

Essa educação é a aniquilação da experiência formativa e da autonomia. Ela não apenas projeta para o futuro, mas tem em seu próprio núcleo a barbárie. A resistência a tal processo é um imperativo tão forte quanto a construção de processos autônomos de formação e das lutas. Não há saída fora do desafio de se criar relações sociais não pautadas pelo individualismo, pela heteronomia e pela concorrência.

---

[11]   Silvia Viana, *Rituais de sofrimento*, cit., p. 51.

[12]   Pierre Dardot e Christian Laval, *A nova razão do mundo*: ensaio sobre a sociedade neoliberal (São Paulo, Boitempo, 2016).

[13]   Marildo Menegat, "Volver!"; disponível em: <https://arlindenor.com/2018/10/09/volver-marildo-menegat/>.

A educação deve ser uma prática subversiva, pois este é o único modo de negar os pressupostos objetivos da barbárie. Para tanto, ela deve estar atenta aos conteúdos, mas também à forma social que assume e, sobretudo, deve manter-se vigilante frente ao perigo de "entregar-se às classes dominantes, como seu instrumento"[14], já que o modo de educar capitalista tende a se impor sobre tudo e sobre todos, indiferente às boas intenções.

---

[14] Walter Benjamin, "Sobre o conceito de história", em *Magia, técnica, arte e política. Obras Escolhidas* (São Paulo, Brasiliense, 1994), p. 224.

Vivendo ou aprendendo...
A "ideologia da aprendizagem"
contra a vida escolar

Silvio Carneiro

Em debates com colegas nas escolas e universidades, sempre soa estranho quando começo a tratar a aprendizagem como um fenômeno que não pertence ao debate da educação. É esquisito falar que os índices de avaliação de desempenho pouco têm a ver com o que se passa nas escolas. Tais estranhamentos são importantes para entender a medida do que acreditamos representar a vida escolar e, ainda mais, o quanto precisamos insistir para que as escolas continuem a ser escolas. Claro, lembra Freud, o estranho tem algo de familiar. No aprender há algo sobre o educar e algo que nada tem a ver com isso.

No território de ambivalências constatamos que as palavras são poderosas para determinar como interpretamos os signos do escolar, bem como os sujeitos que são atravessados por nossos discursos e mesmo como nós próprios nos colocamos no emaranhado das práticas de aprendizagem. Assim, pensar como o termo "aprendizagem" vem assumindo uma gramática própria nas escolas, ganhando até o status de direito, é um modo de compreendermos as

42 | Educação contra a barbárie

configurações mais contemporâneas do que chamamos educação em geral, e, em especial, a formal. Afinal: quais linhas de ação são assumidas a partir do aprender? Quais os destinos de suas relações? E, sobretudo, quais experiências escolares são eclipsadas quando a aprendizagem se torna o eixo da relação com o conhecimento?

Pois é o que se trata quando se escreve com a tinta do tempo presente. Os fenômenos do aprender são ditos de diversos modos. Da importância dada às evidências dos testes de desempenho aos sofrimentos psicossociais que atravessam os corpos e mentes de jovens e docentes expostos às malhas da aprendizagem no chão de sala; dos elementos particulares que conseguem extrair no domínio do ensinar seus indivíduos ao apagar mesmo de sua relação com o conhecimento. Neste conjunto difuso, dar significado ao termo "aprendizagem" é, por certo, essencial.

Vale a pena se perguntar em que momento o campo pedagógico passou a imprimir para si o ideário do aprender. Dos anos 1990 para cá, as políticas educacionais repentinamente apagaram toda uma compreensão relacional de "ensino-aprendizagem" em nome da "aprendizagem". De imediato, é nebulosa a maneira como se deu esse apagamento do ensino em nome da aprendizagem. Aquela relação que outrora estruturava a experiência com o conhecimento, tensionada entre as estratégias de ensino, aparentemente deixa de existir, conferindo cidadania apenas ao polo do aprender. Desde já, salta-nos aos olhos esse apagamento de experiências estruturantes. Mais ainda, vale questionar se esse "eclipse" sobre o ensinar não apaga também os sujeitos da educação que outrora viviam em tensão produtiva com o conhecimento. Haja vista, atualmente, o professor como "reprodutor de apostilas" ou o estudante avaliado por metas curriculares alheias às dinâmicas da sala de aula. A via dupla dos processos de ensino-aprendizagem se torna via de mão única da aprendizagem e, nessa direção, questionamos também como passaram a circular as experiências e as vidas nesse corredor. O que resta do educar, quando se retira o ensinar da circulação?

Tratemos desta questão de outro modo, compreendendo as razões (e as ilusões) próprias de quem ancora efeitos do educar exclusivamente no aprender. Em geral, são os defensores de um novo ambiente escolar, adaptado às exigências tecnológicas e à autonomia de seus estudantes. Para realçar as fronteiras abertas por novos aparatos, contrastam com o cenário antiquado da "transmissão de conhecimento", em que os sujeitos da aprendizagem ficavam resumidos à repetição do que lhes era passado. Diante do pano de fundo de um processo educacional ultrapassado (no qual o ensino, sob a máscara da transmissão, seria o protagonista), passa-se a configurar a aprendizagem como o valor a ser promovido.

Nesse novo palco, a métrica que avalia tem a altura dos desempenhos relativos à ordem das competências e habilidades. Outro modo de dizer que, mais do que o saber, procura-se avaliar o "saber como", o que se explicita na atual Base Nacional Comum Curricular (BNCC), alinhada a diversos documentos de órgãos internacionais que encontram nos modelos educacionais um eixo para estruturar toda uma forma econômica, baseada na comparação de desempenhos entre países e tratada como universal. A BNCC foi preparada junto às diversas fundações filantrópicas afortunadas pela "boa sorte" do capital financeiro. É importante notar como uma das principais avaliações anuais da gramática da aprendizagem – o Pisa[1] – é organizado pela Organização para a Cooperação e Desenvolvimento Econômico (OCDE). Nesse caldeirão de água fervente, a economia abraça a aprendizagem e, com isso, faz de seus rankings um verdadeiro sismógrafo das crises da educação. É duvidoso o alcance dessa medida, pois a educação ocupa territórios mais profundos e densos do que sonha nossa vã economia.

Gert Biesta problematiza essa visão de enlace econômico-educacional sob diversos aspectos, e propõe seguirmos para além da aprendizagem. Sua preocupação dirige-se à simples questão de quem nota a sociedade como um campo complexo de relações, inapreensível por uma única lógica. Ora, quando a economia ultrapassa as fronteiras e começa a organizar os modos de gerenciamento de todas as esferas da vida, como a educação, imprime-se uma lógica de relações avessas ao próprio educar e aos desafios que uma cultura aberta e múltipla propicia. Pois, iniciemos pelo que há de mais imediato na educação. Antes mesmo de se deparar com qualquer conteúdo de saber, a relação educacional pressupõe uma *alteridade radical*: o encontro daquele que sabe com o ignorante, de um mundo privado e um mundo público, e mesmo das experiências que marcam cada subjetividade atravessada pelo espaço escolar. Decerto, a economia também absorve essa alteridade: do proprietário com o não proprietário, do produtor com o consumidor etc. No entanto, Biesta lembra, as maneiras como a economia e a educação abraçam suas alteridades são profundamente diversas.

Na economia, vale o que está escrito no contrato e todos os pressupostos que estão embutidos nele. Não falo aqui apenas das letras miúdas e entrelinhas,

---

[1] Programme for International Student Assessment [Programa Internacional de Avaliação de Estudantes].

44 | Educação contra a barbárie

mas na expressão do próprio contrato: a relação entre indivíduos que garantem nesse acordo os serviços prestados, mediante o pagamento previamente estabelecido. Biesta marca bem a diferença quando a lógica do contrato segue no domínio educacional. Pois, de acordo com os "direitos de aprendizagem"[2], asseguro aparentemente um contrato pelo qual – mediante um cardápio curricular (a BNCC) – serão oferecidos os conhecimentos mínimos para o desenvolvimento das minhas habilidades e competências. Tais serviços prestados, inclusive, poderão ser medidos por constantes avaliações que produzem rankings e determinam o destino de docentes e escolas, seja no céu, seja no inferno.

Tudo isso estaria correto se a alteridade básica da educação tivesse essa substância dos contratos. Mas quem está no chão da escola logo vai reconhecer que a alteridade de sua sala de aula não é a mesma de uma praça de comércio. É certo que estudantes têm expectativas que alimentam a sua curiosidade, assim como professores têm a visão do que pretendem ensinar no interior de um projeto pedagógico coletivamente discutido. No entanto, diferentemente de um consumidor, que tem a mínima ideia do que quer quando entra em uma loja de sapatos, estudantes não têm ideia do que encontrarão em seus anos escolares, salvo alguma coisa de seu imaginário. Podemos dizer o mesmo dos professores: eles não são vendedores que irão seduzir clientes adivinhando seus desejos de consumo, mas há um inesperado que atravessa seus planos escolares: no cotidiano escolar, tudo pode acontecer dentro da sala de aula. A alteridade radical da educação não é, pois, a relação de opostos diretos (o proprietário e o não proprietário), mas é atravessada pelo que é estranho, e todo o desafio é incorporar esse "estranho" às relações educacionais.

Pensemos isso de modo alargado, no universo de relacionamentos que incorpora tanto as singularidades de cada colega da sala, quanto as particularidades dos fenômenos e linguagens que as ciências e as artes nos fazem compreender mais de perto. Quando a educação se efetiva realmente, sempre se encontra algo mais do que se procura. É aí que as competências e habilidades se apequenam, pois o que está em jogo aqui são desejos: aquele brilho nos olhos de alguém que acabou de significar a experiência que viveu.

De modo contrário, ao reduzir relações educacionais complexas a direitos de aprendizagem, impera o contrato. Exposto a um cardápio curricular, estudantes participam da máquina de conteúdos alheios à sua vida. Docentes são cobrados por desvios do roteiro e se tornam coadjuvantes na elaboração dos conteúdos e protagonistas na hora da avaliação dos resultados: como o

---

[2] Termo da moda entre os defensores da BNCC.

vendedor apreciado pelos resultados do mês. Com um cardápio curricular distante da tensão ensino-aprendizagem, desencarnado de seus sujeitos escolares, a gramática da aprendizagem se realiza apenas quando reiterada nas constantes avaliações de resultados. Reduzidas à matemática e à língua portuguesa, as avaliações são verdadeiros rituais que organizam o ritmo das escolas, que sempre vivem a expectativa do próximo teste, dirigido por metas de gabinete tipicamente descoladas do dia a dia escolar. No contexto das aprendizagens, assim, as avaliações de desempenho são a única maneira de manter vivo aquilo que já é processo morto.

Por meio desse ritual, a aprendizagem se sacraliza e tudo passa a girar ao seu redor, abstraindo as múltiplas esferas de experiência a um padrão daquilo que se deve aprender, daquilo que é útil e valorizado nas habilidades e competências quantificadas nas metas de avaliação. Tal abstração tem seus sintomas: o sofrimento social da vida escolar é marcante em inúmeros relatos que chegam das escolas. Seria possível dizer que a escola é por si mesma uma "violência", considerando que ela cria relações que nos tiram do lugar do conforto e nos fazem enfrentar contextos diversos. Mas a inquietação com os sintomas da aprendizagem dirige-se à maneira como tais violências se manifestam. O mal-estar nas escolas (e universidades) que adoece seus docentes, que alimenta o *bullying* e assédios na comunidade, que transtorna vidas jovens ao ponto da automutilação e do suicídio. Seriam sintomas de esgotamento da instituição escolar?

Tudo leva a crer que não. Com a "ideologia da aprendizagem"[3], perde-se um caráter importante da vida escolar, contido na polaridade do "ensino",

---

[3]   Termo sintomaticamente empregado por Rossieli Soares, ministro da Educação no governo Temer, que depois assumiu a Secretaria da Educação de São Paulo no governo de João Doria. Contrário ao Escola sem Partido e sua cruzada contra as "ideologias", Rossieli afirmou que a "única ideologia que nos interessa é a ideologia da aprendizagem" – entrevista a Renata Cafardo, *O Estado de S. Paulo*, 14 jan. 2019; disponível em: <https://educacao.estadao. com.br/noticias/geral,unica-ideologia-que-nos-interessa-e-a-ideologia-da-aprendizagem-diz-rossiele,70002678281>. Mas o Escola sem Partido também não parte de uma "ideologia da aprendizagem" quando prega a "neutralidade" dos conteúdos? Não estariam todos – os pela censura e os pela aprendizagem – irmanados contra a vida pulsante das escolas? Em resposta ao boicote às aulas de 15 mil estudantes australianos para pressionar as autoridades públicas daquele país a combaterem o aquecimento global, o primeiro-ministro Scott Morrison não hesitou em dizer: "O que queremos nas escolas é mais aprendizagem e menos ativismo". Ver Eliane Brum, "As crianças tomam conta do mundo", *El País*, 27 fev. 2019; disponível em: <https://brasil.elpais.com/brasil/2019/02/27/opinion/1551290093_277722.html>. A Austrália é um dos países cujo currículo nacional inspirou a BNCC brasileira.

46 | Educação contra a barbárie

fundamental para que a educação seja educação e, por consequência, para que a escola seja escola. Pois, com a aprendizagem, reforçam-se as metas e o desempenho dirigidos diretamente ao indivíduo em processo de aprender. O ensino, por sua vez, carrega consigo o "signo" (*in-signare*), a "designação". Movimento complementar àquele que "aprende" algo, o ensino propicia a possibilidade de *marcar* no mundo aquilo que passaria por estranho e atentar sobre isso. Fundamental para as bases da educação, a alteridade radical passa a ser atravessada por seus signos, cabendo ao professor dispor tais marcas para que seus estudantes produzam as significações. Isolada do ensino, a gramática da aprendizagem vira mera reprodução de conteúdos, pois o signo ensinado não é um conteúdo a ser transmitido e avaliado no cardápio curricular. O signo é a palavra que atravessa as experiências, multiplicado em singularidades docentes e estudantis e que se compartilha mesmo nos conflitos produtivos entre gerações, gêneros, etnias ou classes.

A aprendizagem isolada se mostra insuficiente, e até mesmo avessa, a uma educação de fato. Reduzida à dimensão do aprender, a educação deixa de ser abertura e passa a ser a repetição dos roteiros avaliados – nada mais contrário ao educar. Na alteridade radical que atravessa a educação, o signo ensinado & aprendido traz vida aos processos. Vivendo & aprendendo...

Ensino médio: entre a deriva e o naufrágio

Ana Paula Corti

Uma das lições importantes da sociologia para compreender a educação é que esta possui uma relação "orgânica" com a estrutura social à qual pertence, uma vez que é parte desta totalidade e é por ela engendrada. Para conhecer a educação de um país é necessário, portanto, conhecer os interesses dominantes que organizam suas relações econômicas, políticas e culturais. Dito isto, a grande questão é perceber como esse postulado produz realidades históricas, nunca previsíveis, mas erguidas em meio às contradições que marcam as políticas e as práticas educacionais. O ensino médio, ao longo do seu desenvolvimento histórico, condensou bem essa relação entre educação e sociedade, colaborando para a manutenção de uma estrutura social classista num país cujas elites conservadoras nunca chegaram a estabelecer um pacto social democrático, produzindo um verdadeiro *apartheid* social.

O ensino médio, parte final da educação básica, foi o último a ser massificado e popularizado no Brasil, o que aconteceu apenas na década de 1990. Quando finalmente os grupos sociais mais pobres e diversos conseguiram entrar na escola média, esta já havia passado por enormes "crises", debates

48 | Educação contra a barbárie

nacionais e reformas. Como ocorreu com outras etapas escolares, a massificação do ensino médio se deu basicamente pela ampliação da oferta de vagas em escolas públicas, nesse caso, estaduais. Daí podermos afirmar que a única escola efetivamente acessível ao povo brasileiro foi a escola pública.

A década da massificação do ensino médio foi um período árido em termos de financiamento: até a criação do Fundo de Manutenção e Desenvolvimento da Educação Básica e de Valorização dos Profissionais da Educação (Fundeb), em 2006, aquela etapa não contava com fonte própria de recursos. Como então foi viabilizada a sua expansão? Aproveitando-se a estrutura escolar e os professores do ensino fundamental. A União e os estados não planejaram o crescimento, e reagiram de maneira improvisada à pressão popular por vagas. Ao Estado brasileiro, representante político das elites, nunca interessou a expansão organizada e planejada de educação para o povo, muito menos do ensino médio, etapa reservada aos "eleitos" que assumiriam as posições de comando no país. Novamente na história brasileira, a expansão educacional foi deflagrada pela demanda popular.

Houve uma verdadeira explosão na procura por vagas no ensino médio público, em parte gerada pelo aumento no número de concluintes do ensino fundamental, mas também por um processo de migração da rede privada para a pública, pois pressionadas pelo arrocho salarial e pela hiperinflação, as famílias não conseguiam mais pagar as mensalidades escolares, que sofriam aumentos constantes. Apesar de tudo isso, o ensino médio permanecia quase invisível no âmbito das políticas educacionais.

A partir do governo Fernando Henrique Cardoso (1995-2002), o ensino médio finalmente entrou para a agenda educacional do país. Já era notório o elevado crescimento das matrículas nos anos 1990, e multiplicavam-se na mesma proporção as dificuldades de acomodação da demanda. O tema passou a frequentar as páginas dos grandes jornais e a marcar presença nos noticiários, juntamente com os casos de violência escolar, de degradação física e material das escolas e de baixo rendimento acadêmico dos alunos.

Uma das medidas centrais desse período foi o estímulo à municipalização do ensino fundamental, de modo que as redes estaduais se tornassem mais "enxutas" e oferecessem, prioritariamente, o ensino médio. Um dos empecilhos era justamente o fato de boa parte das redes escolares ofertarem as duas etapas de ensino numa mesma escola. A saída seria então reorganizar as redes de ensino, separando escolas de ensino fundamental das de ensino médio, o que foi realizado no estado de São Paulo em 1995. Para se ter uma ideia do impacto dessa medida na rede estadual paulista, as matrículas no ensino médio, que representavam 18,3% do total da rede em 1995, saltaram para 34,7% em 2002[1]. Dados mais recentes, de 2018, mostram que as matrículas no ensino médio respondem por 40,7% da rede estadual paulista.

O governo FHC aprovou em 1998 uma reforma do ensino médio, trazendo para o currículo a ideia de diversificação, flexibilização laboral e desenvolvimento de competências – termos que marcavam os processos de reestruturação produtiva do período, provenientes do ambiente corporativo. Era necessário formar um trabalhador polivalente, com competências gerais que possibilitassem uma abertura permanente aos novos contextos produtivos. O mais importante era que os jovens "aprendessem a aprender". A partir dessa mesma racionalidade curricular, foram editados os Parâmetros Curriculares Nacionais (PCN). Mas como levar adiante uma reforma educacional de alcance nacional em tempos neoliberais, sem investir recursos financeiros suficientes? Para isso, o governo FHC tomou um empréstimo do Banco Mundial, alocando recursos para a reforma física de escolas e para a formação de professores. O saldo foi incipiente, e os problemas anteriores à reforma, a maioria deles de ordem estrutural, foram pouco enfrentados: políticas de carreira e salário docente; formação de professores; escassez de laboratórios, equipamentos e material didático. Tratou-se, sobretudo, de uma reforma curricular, que mesmo promovendo mudanças no jargão educacional, não afetou o funcionamento estrutural das redes escolares. Um dos obstáculos centrais era o padrão de financiamento educacional criado por FHC em 1996, o Fundo de Manutenção e Desenvolvimento do Ensino Fundamental e de Valorização do Magistério (Fundef), que focalizava os recursos no ensino fundamental e excluía o ensino médio das prioridades nacionais.

Quando Lula assumiu a Presidência da República, em 2003, deparou-se com duas principais demandas em relação ao ensino médio que vinham de anos anteriores: 1) a rearticulação entre ensino médio e educação profissional, que haviam sido separados no governo FHC; 2) a criação do Fundeb, incluindo o ensino médio no financiamento educacional. O primeiro ponto foi parcialmente atendido pelo Decreto n. 5.154/2004, que possibilitou a oferta integrada de ensino médio e técnico. Em que pese a importância do decreto, das políticas de expansão da rede federal e do ensino médio integrado ao técnico como modelo defendido por inúmeros segmentos do campo educacional,

---

[1] Ana Paula Corti, *À deriva*: um estudo sobre a expansão do ensino médio no estado de São Paulo (1991-2003) (Tese de Doutorado em Educação, São Paulo, Universidade de São Paulo, 2015).

50 | Educação contra a barbárie

sua oferta nos governos Lula e Dilma não avançou como esperado. Em 2015, ano de ápice na oferta de vagas no ensino médio integrado, as matrículas representavam 5% do total do ensino médio brasileiro. O segundo ponto foi atendido em 2006. Curiosamente, o ensino médio passou a integrar o fundo de financiamento da educação justamente quando as matrículas nesta etapa já começavam a mostrar uma leve diminuição.

Os governos Lula e Dilma mostraram disposição para enfrentar os problemas estruturais do ensino médio, na medida em que alteraram seu mecanismo de financiamento e apostaram num modelo público de excelência: o ensino médio integrado. Entretanto, as disputas pela hegemonia da agenda educacional foram intensas, e marcadas pela força de institutos e fundações empresariais, que ampliaram seu poder e passaram a pautar o governo federal no sentido de aprofundar as políticas neoliberais[2]. Disso resultou a criação do Índice de Desenvolvimento da Educação (Ideb) e do Plano de Metas Compromisso Todos pela Educação, medidas que abrangiam toda a educação básica. Foi uma vitória do empresariado que gerou críticas dos setores educacionais, na medida em que essa agenda fragilizava o Plano Nacional de Educação (2001-2010), que deveria pautar as ações governamentais.

Boa parte dos atores empresariais que compunham a coalizão Todos pela Educação vinham desenvolvendo programas e projetos voltados ao ensino médio público, experimentando desenhos de currículo e de gestão com forte viés empresarial. Juntamente com o Sistema S, esses atores participaram fortemente do Programa Ensino Médio Inovador (ProEMI), criado pelo governo federal em 2009. Um exemplo bastante ilustrativo foi a participação do Instituto Unibanco, que conseguiu implantar seu programa Jovem de Futuro em cinco estados da federação (Ceará, Goiás, Mato Grosso do Sul, Pará e Piauí), passando a contar com a chancela do Ministério da Educação[3].

Em 2012, a Câmara dos Deputados instituiu uma comissão para elaborar uma reforma do ensino médio, que resultou no Projeto de Lei n. 6.840/2013,

---

[2] Paralelamente à influência dos setores empresariais nas agendas governamentais, cabe destacar o efetivo aumento da oferta de educação privada entre 2000 e 2015, tanto em número de matrículas na educação básica, quanto em número de escolas. Ver Theresa Adrião, "Dimensões e formas da privatização da educação no Brasil: caracterização a partir de mapeamento de produções nacionais e internacionais", *Currículo sem Fronteiras*, v. 18, n. 1, 2018, p. 8-28; disponível em: <http://www.curriculosemfronteiras.org/vol18iss1articles/adriao.pdf>.

[3] Simone Sandri, *A relação público-privado no contexto do ensino médio brasileiro*: em disputa a formação dos jovens e a gestão da escola pública (Tese de Doutorado em Educação, Curitiba, Universidade Federal do Paraná, 2016).

de autoria do deputado Reginaldo Lopes (PT/MG). Tal proposta trazia marcas evidentes do poder de influência dos atores empresariais também junto ao Legislativo[4]. Os principais pontos do PL eram: universalização, em vinte anos, do ensino médio em tempo integral; proibição do ensino médio noturno para jovens menores de dezoito anos; ampliação da carga horária do ensino médio noturno para 4.200 horas; organização do currículo em quatro áreas de conhecimento (linguagens, matemática, ciências humanas e ciências naturais); adoção de opções formativas no último ano do ensino médio, a critério dos alunos (ênfase em linguagens; matemática; ciências da natureza; ciências humanas; e formação profissional); implantação da base nacional comum para o ensino médio; obrigatoriedade da realização do Exame Nacional do Ensino Médio (Enem). A proposta foi rechaçada por diversas entidades do campo educacional, o que fomentou a criação de um Movimento Nacional em Defesa do Ensino Médio. As principais divergências incidiam sobre o caráter compulsório do ensino médio em tempo integral, num país em que a concomitância entre escola e trabalho é uma realidade entre os jovens; a proibição do ensino noturno aos menores de dezoito anos e sua desvalorização no PL, embora a sua oferta seja de enorme importância na garantia do direito ao ensino médio para jovens trabalhadores; a escolha de áreas de ênfase na formação do aluno, retrocedendo a uma formação fragmentada que comprometeria a formação geral para todos; a transformação da formação profissional em uma área de ênfase, minimizando a sua importância e desconsiderando o modelo de ensino médio integrado já praticado na rede federal e em algumas redes estaduais[5].

Nos anos seguintes, o PL n. 6.840/2013 foi engavetado em razão da crise política que levou ao impeachment da presidenta Dilma Rousseff e à posse de Michel Temer, em 2016. No mesmo ano, Temer apresentou duas medidas provisórias com enorme impacto para a educação: a MP n. 746 (reforma do ensino médio) e a PEC n. 55 (que se tornou a Emenda Constitucional n. 95), congelando por vinte anos os gastos sociais do Estado. Se por um lado o PL n. 6.840/13 e a MP n. 746/16[6] não são rigorosamente a mesma coisa, por

---

[4] Valdirene Alves de Oliveira, *As políticas para o ensino médio no período de 2003 a 2014*: disputas, estratégias, concepções e projetos (Tese de Doutorado em Educação, Goiânia, Universidade Federal de Goiás, 2017).

[5] O manifesto em que o movimento apresenta suas discordâncias em relação ao PL n. 6.840/2017 está disponível em: <http://www.observatoriodoensinomedio.ufpr.br/movimento-nacional-em-defesa-do-ensino-medio-2>.

[6] A divulgação da MP n. 746/2016 (reforma do ensino médio) desencadeou o que Groppo denomina de "segunda onda de ocupações" de escolas em 2016, começando pelo Paraná e se

outro é inegável que são parte de um mesmo projeto (com rupturas, fissuras e divergências) de reforma educacional.

Em 2017 foi aprovada a Lei n. 13.145, que finalmente instituiu a reforma do ensino médio. No novo contexto político, a reforma assumiu uma radicalidade neoliberal marcada pela ênfase na Base Nacional Comum Curricular (BNCC) em detrimento dos componentes curriculares até então obrigatórios, pela redução curricular da formação básica geral de 2.400 para 1.800 horas, pela desregulação que permite oferecer parte do ensino à distância e pela contratação de profissionais sem licenciatura, abrindo enormes precedentes para a privatização. Tal radicalidade é um indício da vitória dos setores empresariais na formulação da agenda governamental para o ensino médio[7].

Ao que tudo indica, reformas curriculares são o modelo preferido de Estados neoliberais quando propóem (ou encenam) mudanças educacionais, não apenas pelo seu baixo custo em relação ao enfrentamento dos problemas estruturais, mas também por serem uma fórmula para reduzir o investimento em educação, favorecerem a privatização e atuarem como peças de marketing político capazes de aplacar a sede da população por melhorias.

Estamos diante de uma reforma que destrói o ensino médio público, mas que também desnuda a destruição da própria política, uma vez que os atores que definem a agenda educacional não foram eleitos, mas promovem a privatização indireta da esfera pública tomando decisões estratégicas num movimento opaco e imperceptível para a maioria da população. Ao fazê-lo, abrem um enorme leque de novas possibilidades de negócio para o capital às custas do direito social e humano à educação. Numa explícita aliança com o Estado, o capital aprofunda a barbárie social em nome de saídas que garantam a continuidade de seu processo de acumulação.

---

espraiando por outros dezoito estados brasileiros. Ver Luís A. Groppo, "Ação coletiva e formação política: os coletivos juvenis e a ocupação de uma universidade no sul de Minas Gerais", em *38ª Reunião Anual da ANPEd*, São Luís, MA, 1-5 out. 2017.

[7] A convergência entre a reforma do ensino médio e os documentos programáticos do Instituto Unibanco e do Todos pela Educação foi investigada por Vinicius Bezerra e Carla Maluf de Araújo, "A reforma do ensino médio: privatização da política educacional", *Retratos da Escola*, Brasília, v. 11, n. 21, 2017, p. 603-18; disponível em: <http://retratosdaescola.emnuvens.com.br/rde/article/download/779/pdf>.

Educação a Distância: tensões entre expansão e qualidade

Catarina de Almeida Santos

Pensar a Educação a Distância (EAD) no Brasil requer que pensemos a própria educação e a sua função na sociedade. Requer ainda lembrar a educação como um direito humano fundamental e seu papel na formação dos sujeitos e na construção das relações socais. Isso implica pensar a educação como possibilidade de desenvolvimento das potencialidades humanas, da apropriação dos saberes sociais construídos historicamente e de aquisição de conhecimentos que permitam conhecer, compreender e transformar a realidade.

Em 1947, Anísio Teixeira defendia que, para além de ser a base da democracia, a educação é o processo que pode levar à justiça social, tendo em vista que ela é o principal meio de se conquistar a igualdade de oportunidades. Mas, segundo o autor, esta não seria uma educação qualquer, mas uma que "faz-nos livres pelo conhecimento e pelo saber e iguais pela capacidade de desenvolver ao máximo os nossos poderes inatos"[1]. Uma educação que não seja, segundo

---

[1]   Anísio Teixeira, "Autonomia para a educação", em João Augusto de Lima Rocha (org.), *Anísio em movimento*: a vida e as lutas de Anísio Teixeira pela escola pública e pela cultura

54 | Educação contra a barbárie

o autor, apenas para alguns, mas para todos. Que possibilite superar as distâncias físicas, materiais, sociais, mentais, culturais, econômicas e raciais do Brasil. Que não seja treino ou domesticação, mas base da construção de uma sociedade democrática.

A Constituição de 1988, ao definir que a educação é direito de todos e dever do Estado e da família, também define que ela tem três finalidades: o desenvolvimento pleno do sujeito, a formação para a cidadania e para o mundo do trabalho. Os preceitos ali estabelecidos coadunam com o que Anísio Teixeira defendia para uma sociedade democrática.

Na busca pela garantia do direito à educação, a utilização da EAD é apontada como forma de superação das distâncias geográficas que, em algumas situações, impedem o acesso físico a instituições de ensino. Assim, o uso da modalidade a distância garantiria a expansão das oportunidades educacionais e a democratização do acesso à educação, com maior alcance, maior flexibilidade para professores e alunos e modernização dos processos educativos por meio do uso das tecnologias de informação e comunicação.

A defesa da utilização da EAD é permeada por um conjunto de argumentos que buscam legitimar a sua ampla expansão, não apenas pela perspectiva do direito, mas também pela ampliação do mercado educacional. A não presença do aluno em sala de aula, o fato de este poder organizar seus horários de estudo, o respeito ao tempo do estudante, a flexibilidade dessa modalidade educativa e, principalmente, o fato de ela chegar a lugares onde a educação presencial não chega – e a custo menor –, são argumentos basilares dos defensores da modalidade.

A ampla utilização da EAD é defendida por diferentes atores, não só do campo educacional. Organismos multilaterais, como o Banco Mundial, apontam a utilização das tecnologias educacionais para a implantação de sistemas de ensino a distância, com especial atenção "para programas que abordem as necessidades educativas dos grupos geograficamente isolados das instituições públicas convencionais de ensino"[2]. Nessa ótica, não há como analisar a expansão da EAD sem levar em conta as contradições que estão

---

no Brasil (Brasília, Senado Federal / Conselho Editorial, 2002, p. 33-49), p. 35; disponível em: <http://www2.senado.leg.br/bdsf/bitstream/handle/id/1060/619664.pdf>.

[2] *Banco Mundial, Educational Change in Latin America and the Caribbean / La educación en América Latina y el Caribe* (Washington/DC, World Bank, 1999), p. 102; disponível em: <http://documents.worldbank.org/curated/en/991981468300538039/pdf/202480SPANISH0 Educational0change.pdf>.

Catarina de Almeida Santos | 55

nas bases de sua defesa. Se por um lado, a educação é condição para o desenvolvimento das potencialidades humanas, por outro, serve para construir um ideário que favorece a manutenção da hegemonia política dos grupos que exercem o poder, visando, em última instância, à reprodução ampliada do capital.

No documento *"Construir sociedades de conocimiento: nuevos desafíos para la educación terciaria"*, publicado em 2003, o Banco Mundial defende alterações no modelo tradicional de controle estatal, sinalizando que os governos

> podem promover mudanças por meio do estabelecimento de linhas gerais de ação e estímulos às instituições de educação superior em um contexto de políticas coerentes, um marco regulatório favorável e a existência de incentivos financeiros adequados.[3]

Para a organização, esse marco regulatório deve "respaldar ao invés de limitar a inovação nas instituições públicas, assim como as iniciativas do setor privado de ampliar o acesso a uma educação superior de boa qualidade", sinalizando que "as normas para o estabelecimento de novas instituições, incluindo as privadas e as virtuais, devem restringir-se a requisitos mínimos de qualidade e não devem constituir barreiras para o acesso ao mercado".[4]

Assim, a análise da expansão da EAD não pode deixar de levar em consideração a força do mercado educacional e a incidência de empresários do ramo frente aos tomadores de decisões em todas as esferas estatais, inclusive regulatórias. Não é possível ignorar que esses empresários influenciam nas decisões, sobretudo nos votos parlamentares e no âmbito da regulação, o que pode ser medido pela magnitude dos negócios fechados nos últimos anos, sempre após intensos processos de negociação entre empresários e instâncias reguladoras.

No Brasil, a modalidade EAD surgiu sem qualquer regulamentação ou parâmetros de qualidade. Embora os seus primeiros passos e a oferta de cursos tenham se dado nas instituições públicas, o *boom* expansionista se deu via oferta privada e sem qualquer controle por parte do Estado. Se a oferta da EAD começa tardiamente no Brasil, em comparação a outros países, os dados apontam que em nível superior ela cresceu com tal velocidade, que hoje, em

---

[3] Banco Mundial, *Construir sociedades de conocimiento: nuevos desafíos para la educación terciaria* (Washington/DC, World Bank, 2003), p. xxiv; disponível em: <http://documentos. bancomundial.org/curated/es/287031468168578947/pdf/249730PUB0Cons00Box0361484B 0PUBLIC0.pdf>.

[4] Ibidem, p. xxv.

56 | Educação contra a barbárie

cursos como pedagogia, o número de matrículas a distância já supera o número de matrículas na modalidade presencial.

O Censo da Educação Superior de 2017 aponta que, na modalidade presencial, a oferta no setor privado detém cerca de 75%[5] das matrículas. Na modalidade a distância, esse percentual sobe para 91% no setor privado, e a EAD já representa 21% do total de matrículas nesse nível de ensino.

Observando esse processo expansionista, o leitor desavisado pode ter a impressão de que a EAD está cumprindo a promessa de colaborar com o aumento das matrículas na educação superior e com a democratização do acesso, como apontou o governo brasileiro na ocasião de criação do sistema Universidade Aberta do Brasil (UAB)[6]. A UAB foi criada, segundo seus idealizadores, com o objetivo de estimular a articulação e a integração de um sistema nacional de educação superior a distância, formado por instituições públicas de ensino superior que se comprometeram a levar ensino público de qualidade a localidades que não possuíam universidades ou institutos federais, garantindo a democratização do acesso à educação superior pública, gratuita e de qualidade.

Analisando detidamente os dados de matrícula, é possível perceber que no setor público a expansão não foi significativa, e que o setor privado investiu no aumento da oferta de vagas a distância em detrimento das presenciais. Os dados do Censo da Educação Superior (Inep) apontam que, entre os anos de 2006 e 2017, houve um aumento de mais de 550% no número de matrículas na EAD, que passaram de 270 mil para pouco mais de 1,75 milhão. Em contraposição, as matrículas na modalidade presencial expandiram em proporções bem menores, pois em 2006 o país possuía 4,67 milhões de alunos matriculados e, em 2017, esse número era de pouco mais de 6,52 milhões, o que significa que o sistema presencial sofreu um incremento de apenas 1,85 milhão de matrículas (39,6%) em mais de uma década.

O gráfico a seguir apresenta o crescimento da oferta de EAD no ensino superior no período, apontando para uma queda e estagnação na oferta pública e para uma acelerada expansão das matrículas no setor privado.

---

[5] Todos os dados de matrículas da educação superior provêm das sinopses estatísticas da educação superior disponíveis no portal do Instituto Nacional de Estudos e Pesquisas Educacionais Anísio Teixeira (Inep).

[6] O sistema Universidade Aberta do Brasil foi criado por meio do Decreto n. 5.800/2006, cuja finalidade era expandir e interiorizar a oferta de cursos e programas de educação superior no país.

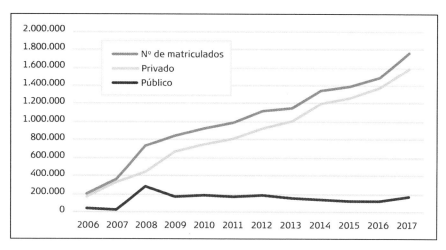

Número de matrículas na modalidade a distância na educação superior por esfera administrativa – Brasil, 2006-2017. Fonte: Censo da Educação Superior (Inep).

A partir desse cenário, é possível apontar alguns dilemas para a educação a distância, sobretudo em relação à garantia de qualidade. Em que pese o Decreto n. 5.622/2005 estabelecer normas e procedimentos para o credenciamento, recredenciamento, condições de oferta, supervisão e avaliação das instituições, os parâmetros de qualidade utilizados entre 2003 e 2016 para a organização dos sistemas da EAD estavam assentados em "referenciais de qualidade". Ou seja, em parâmetros indutores, mas sem força legal.

Com o intuito de conter a expansão desordenada da EAD, o Conselho Nacional de Educação instituiu uma comissão, em 2012, para discutir e propor normas nacionais para a oferta de programas e cursos de educação superior na modalidade a distância. Após um conturbado processo de debate em reuniões e audiências públicas com atores do campo, foi aprovada a Resolução CNE/CES n. 1/2016. O documento traz um conceito mais amplo de EAD do que o presente no Decreto n. 5.622/2005, relacionando elementos e insumos importantes para a sua implementação. O artigo 2º define a educação a distância como uma

> modalidade educacional na qual a mediação didático-pedagógica, nos processos de ensino e aprendizagem, ocorre com a utilização de meios e tecnologias de informação e comunicação, com pessoal qualificado, políticas de acesso, acompanhamento e avaliação compatíveis [...], de modo que se propicie, ainda, maior articulação e efetiva interação e complementaridade entre a presencialidade e

58 | Educação contra a barbárie

a virtualidade "real", o local e o global, a subjetividade e a participação democrática nos processos de ensino e aprendizagem em rede, envolvendo estudantes e profissionais da educação (professores, tutores e gestores), que desenvolvem atividades educativas em lugares e/ou tempos diversos.[7]

A resolução também aborda aspectos como material didático; avaliação e acompanhamento da aprendizagem; metodologias e estratégias pedagógicas; organização da oferta em sedes e polos; profissionais da educação, definindo as funções de docente e tutor, sendo este último um profissional de nível superior com formação na área de conhecimento do curso.

Essas medidas, no entanto, foram abortadas a partir de 2017, quando o governo Temer publicou decretos e portarias que, ao fim e ao cabo, desregulamentaram a modalidade na perspectiva da qualidade, escancarando as portas para a expansão sem controle e sem qualidade[8]. Nessa esteira, a reforma do ensino médio de Michel Temer admite que até 20% da carga horária total no diurno e até 30% no noturno podem ser contempladas com atividades a distância. O atual presidente também vê na EAD uma forma de baratear a oferta da educação pública, com a vantagem de combater aquilo que chama de "marxismo" na sala de aula. Bolsonaro defendia, já em seu programa de governo, a oferta educacional na modalidade a distância desde o ensino fundamental.

Anísio Teixeira afirmou que o Brasil é um país com uma geografia que espanta e que nos separa em suas imensas distâncias. Mas a educação ofertada, especialmente na modalidade a distância, ajuda a superar as distâncias materiais, sociais, culturais, econômicas e raciais existentes no país ou simplesmente contribui para a sua ampliação?

---

[7] Ministério da Educação, *Resolução CNE/CES n. 1, de 11 de março de 2016*; disponível em: <http://portal.mec.gov.br/index.php?option=com_docman&view=download&alias=35541-res-cne-ces-001-14032016-pdf&category_slug=marco-2016-pdf&Itemid=30192>.

[8] O Decreto n. 9.057/2017 assinado por Temer, por exemplo, revogou o Decreto n. 5.622/2005.

Verdades e mentiras sobre o financiamento da educação

José Marcelino de Rezende Pinto

Se há um tema suscetível à manipulação, a meias verdades que embasam grandes mitos, é a discussão sobre o financiamento da educação. Vamos abordar aqui alguns desses mitos.

Mito 1: o Brasil não gasta pouco com educação, gasta mal.

Vamos começar pela questão muito recorrente na mídia e em alguns trabalhos acadêmicos: o Brasil gasta um montante adequado com a educação de suas crianças? Em geral, os economistas ligados ao mercado financeiro e os representantes do Ministério da Educação (MEC), não importa o governo, respondem afirmativamente, alegando que o país aplica em educação um percentual do PIB equivalente ou mesmo superior ao investido por países ricos e que possuem uma educação muito melhor que a nossa. Um exemplo: dados da Organização para a Cooperação e Desenvolvimento Econômico (OCDE) para o ano de 2014, indicam que enquanto os Estados Unidos destinaram 4,2% de seu PIB em recursos públicos para a educação (em todos os níveis de ensino), o Brasil aplicou 4,9%[1], sendo que a média dos países da OCDE ficou em 4,4%. A partir desse dado, esses autores concluem que o problema não é a falta de dinheiro, mas a gestão adequada dos recursos. Qual o engodo escondido nessa afirmação? Como o PIB dos países ricos é muitas vezes maior que o brasileiro, quando avaliamos o quanto eles gastam por estudante, vamos ver que há uma enorme diferença. Com base na mesma fonte, constatamos que os Estados Unidos gastaram US$ PPC[2] 12.176 em média por aluno na educação básica (2,4 vezes o gasto do Brasil), enquanto a média da OCDE foi de US$ PPC 9.489 (1,9 vezes o Brasil). Cabe comentar que quem fornece os valores apresentados pela OCDE em suas publicações são os próprios países, e que os US$ PPC 5.113 por aluno por ano atribuídos ao Brasil estão claramente superdimensionados[3].

Escolas públicas x privadas

Outra forma de avaliar se o Brasil gasta um valor adequado por aluno é comparar as escolas públicas com as escolas privadas, correto? Afinal, o setor privado é sempre apresentado como mais eficiente que o público na utilização dos recursos financeiros. A vantagem dessa comparação é que utilizamos valores em reais, com os quais estamos mais familiarizados. Pois bem, segundo o Instituto Nacional de Estudos e Pesquisas Educacionais Anísio Teixeira (Inep), em 2014 o Brasil gastou cerca de R$ 495 por mês por aluno da educação básica. Esses números estão claramente inflados, mas ainda assim representam menos da metade da mensalidade de uma escola privada considerada de qualidade, correspondendo a cerca de 10% da mensalidade de uma escola de elite. Com um detalhe: é muito mais fácil, e barato, ensinar uma criança ou jovem de classe média do que estudantes que frequentam a rede pública, cujos pais, em sua maioria, possuem baixa escolaridade, condição que impacta muito na aprendizagem.

---

[1] Ver OCDE, *Education at a Glance 2017:* OECD Indicators (Paris, OECD Publishing, 2017); disponível em: <http://download.inep.gov.br/acoes_internacionais/eag/documentos/2017/relatorio_education_at_a_glance_2017.pdf>.

[2] PPC$ é o dólar que leva em conta a paridade de poder de compra, e que é diferente do câmbio comercial.

[3] Ver Otaviano Helene, *Um diagnóstico da educação brasileira e de seu financiamento* (Campinas, SP, Autores Associados, 2013).

O Brasil gasta mal?

Resta a questão: mesmo gastando pouco, o Brasil gasta mal? Há muitos anos citava-se uma estatística atribuída ao Banco Mundial (sempre ele) de que de cada dois reais aplicados em educação, apenas um real chegava à escola. Não há como saber, pois faltam estatísticas confiáveis sobre o gasto com educação no Brasil, não obstante os avanços dos últimos anos com a criação do Sistema de Informações sobre Orçamentos Públicos em Educação (Siope) e com o aprimoramento das diretrizes de controle de alguns Tribunais de Contas[4]. O que se sabe é que de cada R$ 100 gastos em educação, cerca de R$ 85 destinam-se ao pagamento de pessoal. Então, se houver desvio, ele acontece via inclusão de funcionários fantasmas nas folhas de pagamento das secretarias de educação, que, salvo raras exceções, não são publicizadas. Há, contudo, um tipo de fraude ainda muito comum, que é contabilizar como gastos com educação as despesas feitas com o pagamento de profissionais aposentados do magistério. Isso ocorre como forma de inflar os gastos educacionais para efeito de comprovação da aplicação do percentual mínimo da receita de impostos em manutenção e desenvolvimento do ensino, como determina a Constituição Federal: mínimo de 18% para a União, e de 25% para estados e municípios. Já os desvios de recursos mais conhecidos acontecem nas construções e reformas de escolas, bem como nos contratos, em geral terceirizados, de alimentação e transporte escolar. Ou seja, há elementos que apontam que os dados de gasto declarados pela União, estados e municípios podem estar inflacionados, indicando que os gastos poderiam ser menores do que os valores declarados, particularmente na educação básica.

Como os fatores de maior impacto no gasto por aluno são justamente as remunerações de docentes e o número de alunos por turma, como consequência do baixo gasto em educação, as comparações internacionais[5] mostram que o Brasil é o país que paga os menores salários e que apresenta as maiores razões de alunos por turma.

---

[4] Ver, por exemplo, a *Resolução n. 03/2015. Aprova as diretrizes de controle externo Atricon relacionadas à temática "Controle externo nas despesas com educação"* (Brasília, Associação dos Membros dos Tribunais de Contas do Brasil, 2015).

[5] OCDE, *Education at a Glance 2017*, cit.

62 | Educação contra a barbárie

Mito 2: o que dificulta a melhoria da educação básica é que o Brasil gasta muito com a educação superior pública, frequentada por jovens ricos cujas famílias poderiam pagar mensalidades.

Para chegar na afirmação de que o Brasil gasta muito mais com a educação superior do que com a educação básica, seus propositores usam um caminho inverso ao que se valeram na discussão sobre o gasto total, quando a referência era o percentual do PIB. Aqui, usa-se o gasto por aluno. Vamos tomar os dados apresentados pelo Inep de gasto por aluno para o ano de 2014. Pelas estimativas daquele ano, gastou-se R$ 5.935 com um estudante da educação básica e R$ 21.875 com seu colega da educação superior, valor 3,7 vezes maior. Colocado de forma tão simples, pareceria fácil aumentar os gastos com a educação básica. O que não se diz é que quando se considera o total de gastos com educação, os efetuados na educação superior corresponderam, em 2014, a apenas 16% do total[6]. Ou seja, é verdade que o valor do gasto por aluno na educação superior é maior do que aquele realizado na educação básica, mas como o número de matrículas nesse nível de ensino é muito menor, o volume total de recursos não é muito elevado: 0,8% do PIB, em 2014, para um investimento público direto total de 5% do PIB em educação. Expressando de outro modo, se o país deixasse de gastar com educação superior, o que seria uma tragédia para o futuro da pesquisa e da formação profissional de qualidade, os recursos para a educação básica aumentariam apenas 19%. Além disso, é falso dizer que o gasto por aluno na educação superior pública é alto, uma vez que ele é 8% inferior à média da OCDE[7]. A mesma organização afirma que o total destinado à educação superior no Brasil está abaixo da média dos países membros da organização. Logo, a questão não é que os gastos com a educação superior são elevados, mas que o gasto por aluno na educação básica é muito baixo, como comentamos no Mito 1.

Já com relação à afirmação muito difundida de que os ricos vão para as universidades públicas e os pobres para as universidades privadas, cabem algumas considerações. A primeira é que os pobres não têm acesso nem às públicas nem às privadas, uma vez que parcela importante da população de 18 a 29 anos, em especial proveniente das famílias mais pobres, negras ou que vivem

---

[6] Inep, *Relatório do 2º ciclo de monitoramento das metas do Plano Nacional de Educação – 2018* (Brasília, Inep, 2018); disponível em: <http://portal.inep.gov.br/informacao-da-publicacao/-/asset_publisher/6JYIsGMAMkW1/document/id/1476034>.

[7] OCDE, *Education at a Glance 2017*, cit.

na zona rural, não possuem nem sequer o ensino médio completo[8]. A segunda diz respeito ao fato de que as diferenças no perfil de renda dos alunos ocorrem mais entre cursos do que entre as redes pública e privada. Assim, por ter uma oferta de vagas muito menor, o curso de medicina é muito mais elitizado que o de pedagogia, por exemplo. Mais do que isso, quando comparamos o perfil de renda ou a etnia de alunos de medicina, veremos que as universidades públicas são menos elitizadas se comparadas às instituições privadas, e o mesmo vale para os cursos de pedagogia. Assim, mais do que fazer os mais ricos pagarem mensalidades, que representarão um pequeno percentual de recursos, é fundamental ampliar as políticas afirmativas e criar mecanismos que induzam a participação dos egressos da educação superior em políticas públicas voltadas às famílias mais pobres.

Mito 3: ampliar os gastos não vai melhorar a qualidade da educação brasileira.

Disseminada por economistas que trabalham para o Banco Mundial, essa tese é vocalizada no Brasil especialmente pelos economistas abrigados no Insper, um *think tank* de direita com enorme inserção na mídia tupiniquim. Em sua versão original, nos Estados Unidos, eles argumentam que, não obstante o grande crescimento dos gastos educacionais daquele país, não houve melhoras significativas dos estudantes nos testes padronizados, o que mostraria que ampliar os gastos em educação é inútil. No Brasil, a argumentação vai na mesma direção. As abordagens críticas ressaltam o cuidado que se deve ter em considerar as notas dos alunos em testes (como o Pisa, ou Enem e Prova Brasil) como qualidade da educação. Ressaltam ainda que houve mudanças significativas no perfil dos alunos das escolas estadunidenses, com a ampliação do acesso de estudantes afrodescendentes e hispânicos, além do aumento da desigualdade naquele país, todos fatores que impactam negativamente no desempenho dos estudantes[9]. Pesquisas educacionais ressaltam, em particular, a importância da ampliação dos gastos para os estudantes de famílias mais

---

[8]   Inep, *Relatório do 2º ciclo de monitoramento das metas do Plano Nacional de Educação – 2018*, cit.

[9]   Ver Diane Ravitch, *Vida e morte do grande sistema escolar americano:* como os testes padronizados e o modelo de mercado ameaçam a educação (Porto Alegre, Sulina, 2011). José Marcelino de Rezende Pinto, "Dinheiro traz felicidade? A relação entre insumos e qualidade na educação", *Arquivos Analíticos de Políticas Educativas*, v. 22, n. 19, 2014; disponível em: <https://epaa.asu.edu/ojs/article/view/1378/1223>.

64 | Educação contra a barbárie

pobres. A própria OCDE deixa claro que, para um gasto acumulado abaixo de US$PPC 35 mil com a escolarização de um aluno de seis a quinze anos (conclusão do ensino médio), como é o caso do Brasil e de todos os países da América Latina, a ampliação dos gastos educacionais faz, sim, diferença na melhora do desempenho dos estudantes no Pisa[10]. Uma outra forma de ver que dinheiro faz diferença é analisar as mensalidades das escolas cujos alunos apresentam bons desempenhos no Enem: todas acima de R$ 1.500 mensais. No caso da rede pública, apresentam melhor desempenho as escolas técnicas federais e os colégios de aplicação associados a universidades públicas, cujo custo por aluno está na faixa de R$ 800 a R$ 1.000 mensais, o dobro do valor propiciado pelo Fundeb para o ensino médio.

À guisa de conclusão: PNE, CAQi e EC 95

Não é possível concluir este texto sem fazer menção à meta 20 do PNE, que determina a ampliação do investimento do Estado em educação pública no Brasil de forma a atingir o patamar de 7% do PIB em 2019, e 10% do PIB em 2024. Ela ainda estabelece como estratégias a implementação, inicialmente, do Custo Aluno-Qualidade inicial (CAQi) e, posteriormente, do Custo Aluno-Qualidade (CAQ). Considerando que o levantamento oficial mais fundamentado sobre os gastos educacionais do país[11] indicou um gasto público em educação pública de 5% do PIB, impõe-se a pergunta: por que o Brasil precisa dobrar o seu gasto educacional em relação ao PIB?

Primeiramente é preciso lembrar que são décadas de baixo investimento. Como resultado desse processo, temos que ampliar a oferta em todas as etapas da educação básica e na educação superior. Particularmente nas creches e na educação superior, etapas em que a demanda na rede pública é muito grande, os custos são elevados. Temos ainda o enorme desafio de garantir da alfabetização à conclusão do ensino médio para os milhões de brasileiros que não tiveram esse direito assegurado na idade adequada (nossa enorme dívida educacional). Por fim, é preciso enfrentar o desafio da qualidade, que passa essencialmente por tornar a carreira docente mais atrativa,

---

[10] OCDE, "Does money buy strong performance in Pisa?", *Pisa in Focus*, n. 13, 2012; disponível em: <https://www.oecd-ilibrary.org/education/does-money-buy-strong-performance-in-pisa_5k9fhmfzc4xx-en>.

[11] Inep, *Relatório do 2º ciclo de monitoramento das metas do Plano Nacional de Educação – 2018*, cit.

o que só é possível com salários comparáveis aos pagos nas profissões de maior prestígio. Um economista, um advogado, um engenheiro, ganham duas a três vezes mais que um professor da educação básica com formação em nível superior.

Já o CAQi e o CAQ têm como objetivo central fazer com que a ampliação no gasto chegue efetivamente às escolas públicas do país, com a garantia de prédios e equipamentos adequados e de condições de trabalho dignas a todos os profissionais da educação[12]. Ou seja, o Brasil precisa fazer um esforço grande na próxima década porque, durante anos, descuidou de sua educação. Feita a lição de casa, como realizaram todos os países que hoje são considerados desenvolvidos, e com o correspondente impacto virtuoso desse processo na economia, a tendência é o gasto se estabilizar no patamar de 6% a 7% do PIB.

Pensar em 10% do PIB pode parecer, e é, um valor elevado, mas para um país que arrecada 33% do PIB em tributos, ele é plenamente realizável dentro de um pacto nacional por uma educação de qualidade para todos. Basta que a União, o ente que mais arrecada e que menos aplica em educação, assuma essa prioridade. Para que isso aconteça, contudo, é fundamental a revogação imediata da EC 95/2016, que congela todos os gastos primários da União de 2016 a 2035, fazendo com que os recursos públicos que poderiam viabilizar o futuro da juventude brasileira nos próximos vinte anos sejam carreados para o pagamento de juros e encargos da dívida pública, beneficiando menos de 0,1% da população brasileira, a minoria que vive não do próprio trabalho, mas de aplicações financeiras[13].

---

[12] Ver Denise Carreira e José Marcelino de Rezende Pinto, *Custo Aluno-Qualidade inicial*: rumo à educação pública de qualidade no Brasil (São Paulo, Global / Campanha Nacional pelo Direito à Educação, 2007); disponível em: <http://www.educadores.diaadia.pr.gov.br/arquivos/File/pdf/qualidade_aluno.pdf>.

[13] Ver Fórum 21 et al., *Austeridade e retrocesso*: finanças públicas e política fiscal no Brasil (São Paulo, Fórum 21 / Friedrich Ebert Stiftung / GT de Macro da Sociedade Brasileira de Economia Política (SEP) / Plataforma Política Social, 2016); disponível em: < http://brasildebate.com.br/wp-content/uploads/Austeridade-e-Retrocesso.pdf>. Nelson Cardoso Amaral, "PEC 241/55: A 'morte' do PNE (2014-2024) e o poder de diminuição dos recursos educacionais", *Revista Brasileira de Política e Administração da Educação*, v. 32, n. 3, 2016, p. 653-73; disponível em: <file:///Users/tiago/Downloads/70262-290934-1-SM.pdf>.

O ensino superior privado-mercantil em tempos de economia financeirizada
Vera Lúcia Jacob Chaves

No contexto do capitalismo financeiro, a educação deixou de ser direito social e foi transformada em serviço altamente lucrativo, favorecendo a expansão do setor privado-mercantil no Brasil. A expansão do ensino superior por meio do setor privado-mercantil deve ser analisada nesse contexto global de valorização do capital. É a partir da "mundialização financeira do capital"[1] que se consolida o atendimento educacional via grandes empresas, cujo objetivo é declaradamente o lucro.

A financeirização no âmbito das empresas educacionais no Brasil se deu à medida em que a lógica dos negócios passou a ser marcada pela especulação, ou seja, "por decisões de compra (venda) de ativos comandadas pela expectativa de revenda (recompra) com lucros em mercados secundários de ações, imóveis, moedas, créditos, *commodities* e vários outros

---

[1] François Chesnais, *A mundialização do capital* (São Paulo, Xamã, 1996).

68 | Educação contra a barbárie

ativos"[2]. Essa nova lógica financeira das Instituições de Ensino Superior (IES) mercantis, acompanhada de outras estratégias organizacionais na gestão delas, favorece a oligopolização do setor e são incompatíveis com os princípios que norteiam os processos educativos.

A inserção de capital especulativo no ensino superior do Brasil se dá de duas formas: 1) pela inclusão de grupos educacionais no mercado de ações em bolsas de valores; 2) por meio do ingresso de grupos estrangeiros de capitais fechados e abertos. A abertura do capital das empresas no mercado de ações, e a subsequente valorização desses papéis, possibilitaram o aumento de seu capital e a compra de IES menores espalhadas pelo país, e, com isso, a formação de grandes grupos empresariais.

O avanço do processo de financeirização do ensino superior brasileiro, advindo de negociações estritamente direcionadas aos interesses mercantis na última década, efervesceu o setor desde 2007, com a abertura do capital de grupos educacionais na Bolsa de Valores de São Paulo (BM&FBovespa). Tal processo demonstra a voracidade do mercado e consolida o gigantismo econômico financeiro do setor educacional, inclusive para a entrada do capital estrangeiro.

Nesse processo, as universidades e os centros universitários formam grandes conglomerados, ou *holdings*, estabelecendo uma concorrência predatória ao criarem dificuldades financeiras para os estabelecimentos de pequeno porte – que acabam sendo adquiridos pelo capital mercantil de grande porte. Ocorre, desse modo, um movimento de fusões e aquisições de IES com oligopolização do setor, em que uma empresa mantenedora *holding* controla os negócios das demais. Este processo foi tão intenso a partir de 2007, que o setor educacional ocupou as primeiras colocações no ranking de fusões e aquisições do mercado nacional. Em 2008, esse setor foi classificado em terceiro lugar no conjunto de fusões e aquisições entre todos os setores econômicos no Brasil.

Outra manifestação do processo de mercantilização do setor privado evidencia-se nas aquisições realizadas por fundos de *private equity*[3]. Formados por grupos fechados de grandes especuladores (nacionais e internacionais), esses fundos "têm condições de injetar somas elevadas de recursos nos negócios

---

[2]   Pedro Paulo Zahluth Bastos. "Financeirização, crise, educação: considerações preliminares". *Texto para Discussão IE/Unicamp*, Campinas, SP, n. 217, 2013, p. 2.

[3]   *Private equity* são fundos de investimento em participações de empresas de capital aberto ou fechado, com envolvimento posterior da entidade gestora/investidora nos espaços de gestão da entidade investida.

educacionais"[4] mediante a adoção de normas e princípios de gestão corporativa, com a reestruturação das instituições, redução de custos e racionalização administrativa.

Os principais grupos educacionais que operam no ensino superior privado-mercantil do Brasil atualmente podem ser classificados em três tipos: a) empresas de capital aberto brasileiras (sociedades anônimas) com inserção no mercado de ações (BM&FBovespa): Kroton/Anhanguera (que se fundiram em 2014), Estácio, Ânima e Ser Educacional; b) grupos internacionais que passaram a adquirir instituições de ensino superior privadas no Brasil: Laureate Education[5] e Wyden Educacional[6]; e c) grupos educacionais que ainda não abriram o capital no mercado de ações: Universidade Paulista (Unip), Universidade Nove de Julho (Uninove), Universidade Cruzeiro do Sul (Unicsul) e Universidade Tiradentes.

A expansão dessas instituições empresariais vem sendo estimulada pelos governos. Isto ocorre a partir dos seguintes mecanismos: liberalização dos serviços educacionais, imunidade/isenção fiscal – Programa Universidade para Todos (ProUni) –, isenção da contribuição previdenciária das instituições filantrópicas, isenção do pagamento do salário-educação, Fundo de Financiamento Estudantil (Fies) e empréstimos a juros baixos pelo Banco Nacional de Desenvolvimento Econômico e Social (BNDES). De todos esses mecanismos, priorizaremos aqui os dois principais programas de financiamento público para o setor privado-mercantil: o ProUni e o Fies.

Recursos públicos para o setor privado

Ao privilegiar a ampliação do acesso do ensino superior por meio de instituições privadas, o governo federal aumentou significativamente o financiamento público de tais instituições. Essa política, alicerçada nas orientações do Banco Mundial, tem contribuído para viabilizar os lucros dos grupos

---

[4]   Andréa Araujo do Vale, Cristina Helena Almeida de Carvalho e Vera Lúcia Jacob Chaves, "Expansão privado-mercantil e a financeirização da educação superior brasileira", em Belmiro Cabrito et al. (org.), *Os desafios da expansão da educação em países de língua portuguesa*: financiamento e internacionalização (Lisboa, Educa, 2014), p. 206.

[5]   Conglomerado estadunidense de universidades com inserção em diversos países. Entre seus sócios, estão o fundo *private equity* KKR, o Banco Mundial e a Universidade Harvard.

[6]   Antiga DeVry Internacional, a Wyden é uma empresa de capital aberto pertencente ao grupo Adtalem Global Education, oriundo dos Estados Unidos e com inserção em diversos países.

Educação contra a barbárie

financeiros/educacionais, em especial os de capital aberto como Kroton/ Anhanguera, Estácio, Ânima e Ser Educacional.

O Fies, criado em 1999 em substituição ao programa Crédito Educativo para Estudantes Carentes (Creduc), financia a matrícula e as mensalidades de estudantes em IES privadas. A partir de 2010, o programa passou por ajustes que culminaram no crescimento vertiginoso dos contratos e, consequentemente, dos gastos, com impacto direto nos recursos orçamentários da União para a educação. As alterações promovidas no Fies em 2010, em especial a redução da taxa de juros ao ano e a dispensa de fiador na celebração dos contratos, contribuiu para o aumento exponencial dos recursos financeiros destinados ao Fundo. Essas alterações estão relacionadas às demandas do *lobby* privatista, que concebe o Fies como potencial ferramenta de lucro, de captação de alunos e de ocupação de vagas ociosas – enfim, como ferramenta de consolidação do setor.

O Fies e o ProUni gozaram de uma evolução extraordinária de recursos no período de 2003 a 2017, em detrimento dos recursos para as universidades federais, como pode ser observado na tabela a seguir:

RECURSOS DO FIES E DO PROUNI COMO PERCENTUAL DAS DESPESAS DA UNIÃO COM AS UNIVERSIDADES FEDERAIS, 2003-2017

Ano	Gasto da União em educação (A)	Fies e ProUni (B)	B/A (%)	Universidades federais (C)	C/A (%)	B/C (%)
2003	48.665.067.734	1.609.450.918	**3,3**	20.187.196.628	**41,5**	**8,0**
2010	98.883.638.378	3.645.941.284	**3,7**	42.499.166.828	**43,0**	**8,6**
2015	129.307.208.005	18.178.015.384	**14,1**	48.900.727.030	**37,8**	**37,2**
2017	130.369.584.769	21.820.088.542	**16,7**	51.599.122.337	**39,6**	**42,3**
Variação (%) 2003-2017	**167,9**	**1.255,8**		**155,6**	-	-

Valores (R$ 1), a preços de janeiro de 2018 (IPCA). Fonte: despesas da União por órgãos e unidades orçamentárias, Senado Federal (Portal Siga Brasil).

De 2003 a 2017, os gastos da União com a educação foram ampliados em 167,9%. Com as universidades federais, os gastos cresceram 155,6%. Entretanto, a União ampliou em 1.255,8% os recursos para o setor privado por meio do Fies e do ProUni. Em 2003, foram destinados R$ 1,6 bilhão para esses dois programas e, em 2017, foram liberados R$ 21,8 bilhões. Tais despesas passaram a representar 16,7% do gasto federal total em educação, e representaram, em 2017, 42,3% das despesas da União com as universidades federais. Constata-se, desse modo, que o governo federal ampliou significativamente o financiamento público para esse setor, o que contribuiu para aumentar os lucros dos grupos financeiros/educacionais.

O ProUni e o Fies constituem mecanismos governamentais de fortalecimento da mercantilização, da privatização e da financeirização do ensino superior brasileiro, na medida em que patrocinam o aumento do patrimônio líquido dos grupos educacionais privados-mercantis, estejam ou não listados na BM&FBovespa. Isso pode ser confirmado pelo desempenho financeiro dos grupos Kroton, Estácio, Ânima e Ser Educacional, que têm ficado acima da média das empresas brasileiras em decorrência do sólido financiamento estatal realizado nos últimos anos[7].

Em 2015, o Fies representou 70,5% da receita líquida da graduação presencial do grupo Kroton, o que equivale a aproximadamente R$ 4,2 bilhões. O grupo Estácio obteve 55,17% de sua receita líquida com o Fies. No grupo Ser Educacional, o Fies representou 46,4% do rendimento líquido, e no grupo Ânima, 45,2%.

As margens de lucro exorbitantes do setor privado-mercantil guardam estreita relação com o elevado volume de estudantes beneficiários do Fies, posto que parcela expressiva das receitas derivadas do pagamento das mensalidades fica garantida. É importante destacar que o Fies e as novas formas de financiamento estudantil desse setor vêm contribuindo para o aumento do endividamento familiar, o que poderá levar ao próximo ápice da crise do capital, segundo alguns economistas.

É crescente a destinação de recursos públicos para os grandes grupos financeiros educacionais, especialmente por meio do Fies, transformado em um mecanismo de estímulo à acumulação capitalista, acelerado por estratégias mercantis (movimento de ações) capazes de criar e de concentrar grandes grupos educacionais de caráter financeirizado. Assim, o ensino superior comercializado por instituições privadas constitui, com incentivo estatal direto, um negócio altamente rentável no Brasil.

Como elemento estruturante do processo, o ajuste fiscal (focalizado no superávit primário) procura proteger os interesses dos detentores do capital e

---

[7]   Oscar Malvessi, "Análise econômico-financeira de empresas do setor da educação", em Gilberto Maringoni (org.), *O negócio da educação*: a aventura das universidades privadas na terra do capitalismo sem risco (São Paulo, Olho d'Água / Fepesp, 2017), p. 75-104.

dos títulos da dívida pública. No período de 2003 a 2017, o governo comprometeu R$ 16,552 trilhões para o pagamento de juros, amortizações e refinanciamento da dívida pública (interna e externa), o que representa quase a metade (46,6%) de todos os recursos orçamentários da União.

Os constantes cortes de recursos destinados à educação operados pelo governo federal resultam em uma crescente deterioração da educação pública em geral, e das universidades federais em particular. Sem financiamento suficiente, a expansão do número de matrículas verificada nas universidades federais nos últimos anos, longe de representar a apregoada democratização do acesso à educação superior no Brasil, já resulta no aprofundamento da precarização das condições de trabalho e na degradação da qualidade do ensino e da produção científica realizada nessas instituições.

Mesmo diante de uma eventual recuperação do crescimento econômico no país, os gastos em áreas sociais não poderão ser ampliados por vinte anos, de acordo com a Emenda Constitucional n. 95/2016. Assim, ao mesmo tempo em que impacta negativamente o orçamento das universidades federais (e das demais instituições públicas), o único compromisso da EC 95, mesmo em um potencial cenário de recuperação econômica, é seguir ampliando o montante financeiro destinado ao pagamento da dívida pública, o que fortalece ainda mais o setor financeiro. Na prática, o movimento de expansão privado-mercantil por meio dos grandes conglomerados educacionais só tende a se ampliar, enquanto se intensifica a precarização dos serviços públicos para garantir reservas financeiras para a manutenção da política econômica.

O público, o privado e a despolitização nas políticas educacionais

Marina Avelar

Políticas públicas influenciam nossas vidas o tempo todo, mesmo que não percebamos. Em nossas escolas, as políticas entram e as práticas mudam, ora de forma clara e repentina, ora de forma lenta, processual e até mesmo imperceptível. Exemplos incluem decisões sobre financiamento, formação de professores, currículo e tantos outros que impactam o cotidiano educacional. Entretanto, a política educacional é geralmente vista como algo difícil de ser compreendido, distante, entediante por vezes, ou ainda como uma caixa-preta, cujos procedimentos internos são inteiramente desconhecidos. Por isso é importante desmistificar a política educacional e humanizar o seu funcionamento. Compreender *quem* faz a política educacional torna-se uma parte importante desse trabalho: olhar quem são os grupos e as pessoas cujas decisões terão consequências para professores, famílias e alunos. Esta é uma tarefa fundamental para que possamos cobrar os responsáveis e fortalecer a mobilização de quem quer trabalhar por mudanças na educação.

74 | Educação contra a barbárie

Contudo, a tarefa não é fácil, já que uma série de novos atores tem participado da política educacional em complexas redes de governança[1]. Novas vozes provenientes do setor privado, que não são eleitas nem supervisionadas pela população, têm tido participação significativa na determinação de políticas educacionais. Quero, portanto, ampliar nossa compreensão acerca do funcionamento do Estado, da política educacional e da atual arena política, chamando a atenção para a necessidade de democratizarmos a política educacional não apenas nos seus conteúdos e propósitos (que são fundamentais), mas também nos seus "métodos", em como as decisões são tomadas. Escrevo este ensaio para tentar compartilhar alguns dos achados de minhas pesquisas recentes com foco nas atuais dinâmicas da política educacional e suas redes. Busco expandir o olhar sobre essa arena, prestando atenção em atores e espaços de relacionamento público-privado por vezes desconhecidos, esquecidos ou subestimados em outras pesquisas, e também no debate público das políticas educacionais.

Quem está fazendo as políticas da educação?

Uma resposta comum que habita nosso imaginário é que quem faz as políticas é o Estado, o governo. Evoca-se os órgãos públicos, como o MEC e as secretarias estaduais e municipais de educação. Algumas vezes, também os profissionais da educação são mencionados como parte desse ecossistema. Entretanto, passam despercebidos outros grandes atores, em especial os grupos privados, com ou sem fins lucrativos. Aí estão incluídos fundações, institutos e empresas cuja relevância é crescente em todo o mundo. No Brasil não tem sido diferente.

Com uma nova tendência internacional de gestão pública, Estados estão se afastando de sistemas mais hierarquizados em direção a redes de governança complexas e dinâmicas. Nessas redes, governo, filantropia e mercado têm colaborado na formulação e na execução de políticas públicas (na educação e em outros setores). A linha que separa organizações públicas e privadas tem se tornado cada vez mais tênue e opaca. Classificar pessoas físicas como provenientes do âmbito "público" ou "privado" torna-se, portanto, desafiador

---

[1] Alguns autores da ciência política têm discriminado a gestão feita de forma hierárquica, ou burocrática (no sentido de utilizar estruturas e processos bem estabelecidos e sistematizados), da "governança em rede", realizada por diversos atores em relacionamentos dinâmicos e voláteis.

(quando não impossível). Com carreiras forjadas simultaneamente nos setores público e privado, os próprios profissionais da educação passam a ter experiências, contatos e influências em diferentes setores. São pessoas que, carregando consigo a reforma educacional, atravessam as fronteiras de setores e instituições públicos e privados[2].

Quanto ao setor privado com fins lucrativos, algumas organizações têm se interessado cada vez mais pela educação por seu potencial de lucro. Os chamados *"edubusiness"*, ou "edunegócios", têm crescido internacionalmente em todos os níveis de ensino, da educação infantil ao ensino superior. O Brasil tem se tornado um local especialmente atrativo para esses empreendimentos por conta de sua enorme população em idade escolar (está entre as dez maiores populações em idade escolar do mundo). Com foco no lucro, questões pedagógicas, éticas e sociais são colocadas em segundo plano por esse tipo de organização, cujo trabalho pode atingir a política educacional de diversas formas: participação em fóruns e comitês públicos, venda de serviços ou materiais para secretarias de educação, pressão sobre legisladores e executivos do governo com poder de decisão etc.

Com atuações distintas no foco, mas semelhantes no método, as organizações sem fins lucrativos também têm se destacado nas complexas redes da política educacional. A despeito de não lucrarem diretamente com a oferta de serviços, a filantropia tem trabalhado com lógicas gerenciais semelhantes às das organizações lucrativas, naquilo que tem sido chamado de "nova filantropia". Trabalhando por metas, essas organizações visam promover grandes impactos e mudanças sistêmicas na educação, uma gestão eficiente e um ensino padronizado e passível de avaliação em larga escala. Em termos de políticas públicas, isso se traduz na defesa enfática de reformas educacionais estruturais. Em paralelo a exemplos internacionais, como a Bill and Melinda Gates Foundation e a Open Society Foundation, os exemplos brasileiros incluem a Fundação Lemann, o Instituto Unibanco, o Instituto Ayrton Senna, entre tantos outros. Essas organizações estão presentes em todo o país, e têm fomentado reformas educacionais em estados inteiros; e muitas vezes políticas educacionais nacionais via parcerias e influência sobre o MEC. No Brasil, os dados financeiros dessas organizações são opacos e difíceis de aferir. Ainda assim,

---

[2]   Ver Marina Avelar e Stephen J. Ball, "Mapping new philanthropy and the heterarchical state: The Mobilization for the National Learning Standards in Brazil", *International Journal of Educational Development*, v. 64, 2019, p. 63-73; disponível em: < https://www.sciencedirect.com/science/article/pii/S0738059317302080>.

76 | Educação contra a barbárie

pode-se mencionar o número coletado pelo Grupo de Institutos, Fundações e Empresas (GIFE), em seu censo de 2016, sobre o orçamento executado por seus membros. Considerando todos os setores (dentre os quais a educação é o maior), os membros do GIFE investiram R$ 2,8 bilhões[3] em 2016. Trata-se, como se vê, de um grupo com poder financeiro para desequilibrar a arena da política educacional.

Além das fronteiras entre os setores público e privado, também as fronteiras entre países vão se tornando mais porosas, e grupos privados com e sem fins lucrativos agora operam em redes globais, que conectam governos, organizações filantrópicas e empresas em diversos países. As tecnologias de informação e comunicação têm um papel central na construção e na manutenção dessas redes, mas isso não quer dizer que os encontros pessoais tenham perdido a importância. Encontros em seminários, congressos e reuniões são importantes para fortalecer laços, criar confiança e intimidade e alinhar projetos e discursos. São frequentes as notícias sobre seminários e cursos de fundações que reúnem políticos e filantropos, congressos da Unesco que juntam esse mesmo público, e assim por diante. Exemplos recentes incluem os seminários do Instituto Unibanco "Caminhos para Qualidade da Educação Pública", que reuniram representantes de vários setores e estados para discutir política educacional dentro das concepções do instituto; ou ainda os eventos promovidos pela Fundação Lemann dentro e fora do Brasil, como o recente encontro na Universidade de Oxford[4] que reuniu gestores públicos brasileiros com representantes da fundação. São espaços privilegiados de alinhamento político, com acesso restrito a convidados. Aos outros, como os professores, resta a organização tradicional via fóruns, sindicatos, manifestações... com acesso ainda mais restrito e indireto aos tomadores de decisão.

Os atores privados utilizam seus recursos financeiros e sociais para modificar o cenário educacional brasileiro. Nas palavras de Kenneth Saltman, estão "votando com dinheiro"[5]. Eles são capazes de mobilizar uma grande quantidade de recursos, exercendo o que pode ser chamado de "hiperagência"[6], razão pela qual algumas fundações empresariais conseguem realizar

---

[3] Disponível em: <https://gife.org.br/censo-gife>.

[4] Disponível em: <https://economia.estadao.com.br/noticias/geral,em-oxford-politicos-buscam-inspiracao,70002622983>.

[5] Ver Kenneth J. Saltman, *The Gift of Education*: Public Education and Venture Philanthropy (New York, Palgrave Macmillan, 2010).

[6] Ver Paul G. Schervish, "Hyperagency and high-tech donors: a new theory of the new

(ao seu modo) aquilo que seria papel de movimentos sociais inteiros. Nessa arena dominada pelo poder do dinheiro, os críticos, a oposição e o diálogo ficam naturalmente excluídos do debate público sobre políticas educacionais.

O que está em disputa nessa arena da política educacional?

Tendo em vista as emaranhadas redes políticas na educação contemporânea, posicionamentos simplistas que assumem que todo privado seja ruim e que todo público seja bom – ou o oposto, a depender do posicionamento de quem olha – se tornam problemáticos. As dinâmicas nessas redes são persistentemente mais complexas, o que dificulta muito o nosso trabalho de analisar e categorizar, no fim das contas, aquilo que é público e o que é privado. Contudo, o que permanece e merece a nossa atenção é o embate de projetos educacionais.

A disputa entre "público" e "privado" parece ecoar muito mais a oposição entre uma visão de educação como bem público (e sua gestão para o público) e uma visão privada que compreende a educação como uma ferramenta para o desenvolvimento econômico (e propõe que esta seja gerida como uma empresa). Ainda assim, tais posições seriam melhor compreendidas como em um espectro, e não marcadas de forma tão dicotômica. Precisamos de novos termos para falar dessa arena, já que o vocabulário anterior parece não dar conta da complexidade do atual estado de coisas.

Essa disputa de visões permeia a política e a pedagogia, a gestão e o ensino, em um embate entre "politização" e "despolitização". Na política e na gestão, isso é visível no conflito entre a gestão democrática (como uma gestão a serviço da participação de todos e da mudança do entorno da escola) *versus* a gestão "técnica" ou empresarial (focalizada em processos e técnicas, voltada à eficiência e ao alcance de metas). Na pedagogia, identifica-se o mesmo conflito entre uma formação para a liberdade e a compreensão do entorno social *versus* uma formação centrada em habilidades e competências aplicáveis ao trabalho.

Esse embate internacional assume tensões especiais no Brasil. Paulo Freire permeia a nossa formação como educadores e professores com o pressuposto de que a educação é política e de que o papel do educador é justamente o de politizar esse processo e auxiliar os alunos a perceberem e modificarem as dinâmicas sociais. Nesse contexto, há certamente uma desconfiança sobre

philanthropists", 14 nov. 2003; disponível em: <https://www.bc.edu/content/dam/files/research_sites/cwp/pdf/haf.pdf>.

78 | Educação contra a barbárie

a participação do empresariado e da filantropia empresarial na educação, pois esses atores defendem exatamente que a educação seja um tema técnico, um problema administrativo e gerencial; que poderia, portanto, ser solucionado com ferramentas de gestão empresarial adequadas. É a partir desse ponto de vista que muitas fundações empresariais enxergam os profissionais da educação como um grupo fechado e com visões ultrapassadas.

E por que a relação público-privada na política educacional importa?

Em um contexto de profundos desafios impostos à educação pública, é fundamental compreendermos essa nova e complexa arena da política educacional. Novos atores, com relacionamentos opacos entre o público e o privado, utilizam seus recursos financeiros e sociais e participam ativamente da política educacional, modificando suas agendas (que envolvem conteúdos – o que deve ser ensinado? – e propósitos – para quê educar?) e seus métodos (como fazer políticas para a educação?). Tudo isso é perpassado por seus esforços crescentes de "despolitizar" a política pública. Enquanto suas agendas – os projetos de reforma empresarial da educação que defendem – têm recebido maior atenção em pesquisas e em ações políticas, seus métodos – a forma como trabalham – merecem maior escrutínio.

Empresários e filantropos, apesar de argumentarem que estão trabalhando para a melhoria da educação e para o bem público, não foram eleitos por ninguém. Suas agendas, objetivos e métodos políticos não passam por validação pública e não podem ser controlados pela sociedade. Como diz Frumkin[7], ao contrário de governos que passam por eleições, ou de corporações que ao menos possuem acionistas a quem responder, a filantropia é capaz de cruzar as fronteiras entre público e privado sem prestar contas aos seus diversos atores. A participação na política educacional não pode ser determinada pela posse (individual ou em grupo) de capital financeiro ou social. Se a filantropia empresarial possui (ou quer possuir) um papel tão determinante na política educacional brasileira, ela precisa se submeter a critérios de transparência e de controle social muito mais rigorosos, a começar pela publicação de informações financeiras detalhadas dos movimentos, institutos e fundações que financia.

É preciso repolitizar a política educacional e fortalecer um projeto democrático de educação nos conteúdos e nas formas, em contraste com o discurso

---

[7] Peter Frumkin, *Strategic Giving*: The Art and Science of Philanthropy (Chicago/IL, University of Chicago Press, 2008).

despolitizado que reduz a educação a uma questão técnico-administrativa. Os ideais privados que têm sido aplicados à educação precisam ser (re)substituídos por um forte apreço pela educação pública como uma parte crucial da democracia[8]. Processos democráticos, participativos e transparentes são importantes *sempre*. Precisamos de escolas e currículos comprometidos em promover a igualdade, o engajamento cidadão e o combate a todo tipo de exclusão e discriminação, mas esse trabalho não pode ser separado dos métodos, o "como" da governança e da formulação das políticas. Os processos da política educacional precisam ser mais democráticos, transparentes e inclusivos, com a participação dos cidadãos comuns e dos profissionais da educação, numa verdadeira gestão democrática da educação.

---

[8] Ver Kenneth J. Saltman, *The Gift of Education*: Public Education and Venture Philanthropy, cit.

PARTE II

A
BARBÁRIE
TOTAL

Educação na primeira infância: direito público × capital humano

Bianca Correa

Em um documento de 2011, a Campanha Latino-Americana pelo Direito à Educação (Clade) apontou "uma forte disputa de sentidos no campo da educação na primeira infância"[1]. De um lado, a ideia de que assim como todo ser humano, também as crianças têm direito a uma educação de qualidade desde o nascimento; de outro, a posição de que investir em educação desde tenra idade se configura como estratégia de desenvolvimento econômico, sendo as crianças parte do capital humano que, uma vez "educado" no momento certo, pode gerar "alta taxa de retorno"[2].

No Brasil, o reconhecimento da educação infantil como primeira etapa da educação básica, recobrindo a faixa que vai desde o nascimento até os cinco anos e onze meses de vida, com oferta obrigatória gratuita pelo Estado em creches e pré-escolas, é conquista recente, que surge na Constituição Federal de

---

[1]   Campanha Latino-Americana pelo Direito à Educação (Clade), *Educação na primeira infância*: um campo em disputa [documento de trabalho e debate] (São Paulo, Clade, 2011), p. 5.

[2]   Ibidem, p. 5.

84 | Educação contra a barbárie

1988. A legislação brasileira relacionada à oferta da educação infantil é extremamente avançada se comparada à de outros países do continente americano e europeu, pois a previsão de atendimento a bebês de forma inteiramente gratuita como obrigação do Estado é incomum mesmo em países onde os direitos das crianças e das mulheres são bastante avançados.

Todavia, como bem assinalou Fúlvia Rosemberg[3], ao colocar tais direitos na letra da lei, nossa sociedade parecia não estar plenamente convencida da relevância de uma educação infantil fora do âmbito doméstico e oferecida por outro sujeito que não a própria mãe. Ainda somos uma sociedade machista e patriarcal, que entende que os cuidados com a primeira infância, ou seja, com as crianças de até três anos, devem ser executados no contexto familiar, mais especificamente pela mãe.

Quero tratar aqui de um ideário sobre a educação na primeira infância que vem se construindo desde ao menos a década de 1970, particularmente no campo da psicologia, e que, nos últimos tempos, vem ganhando adeptos no campo da economia. Trata-se de um discurso que, a um só tempo, enquadra as crianças pequenas como seres *meramente* biológicos, com "janelas de oportunidades" a serem exploradas numa perspectiva quase que explicitamente mercantil, e define como responsáveis primeiras por tal desenvolvimento as mulheres; não mais numa lógica do "dever materno" à moda antiga, mas de um dever afetivo e econômico que chega a soar como chantagem emocional.

Os discursos governamentais para justificar diferentes modelos de educação e cuidado com os bem pequeninos têm sido produzidos, com exceções cada vez mais raras, não por educadores, mas por psicólogos, médicos, neurocientistas, administradores e economistas, muitos deles ligados a institutos e fundações empresariais, os chamados reformadores empresariais da educação. Embora a conjuntura internacional indique a prevalência de uma visão instrumental e economicista da primeira infância e da educação infantil, algumas contradições abrem brechas para argumentarmos em prol da ideia de que a educação é um direito humano construído socialmente e do qual não podemos abrir mão.

---

[3] Fúlvia Rosemberg, "Para uma outra educação infantil paulistana pós Fundeb", em *I Encontro Educação para uma outra São Paulo*, 2007; disponível em: <https://www.nossasaopaulo. org.br/portal/files/EducacaoInfantil2.pdf>.

Educação infantil como investimento em capital humano

Desde a Declaração de Jomtien (1990)[4], em que a educação infantil aparece de maneira muito tímida, foi possível perceber a necessidade de disseminar novos modelos para que os países signatários da Declaração se sentissem estimulados a investir minimamente nessa etapa educacional. É a partir desse momento que a ideia economicista da educação infantil como desenvolvimento de capital humano começa a ganhar fôlego[5].

Por outro lado, desde a década de 1970, tanto a Unesco quanto organizações multilaterais como o Banco Mundial vêm sugerindo medidas "alternativas" para a educação na primeira infância. Um dos modelos mais populares é o das *mães crecheiras*, mulheres que recebem um conjunto de crianças para cuidar em suas próprias residências com uma pequena ajuda de custo dos governos. Entre nós, o mais conhecido e amplo modelo de atendimento à primeira infância de baixíssimo custo foi o projeto Casulo[6], que era organizado em espaços adaptados com um grande número de crianças por agrupamento, muitas vezes sem a presença de uma professora formada e contando apenas com monitoras – em alguns casos, as próprias mães – em regime de trabalho não remunerado ("voluntário")[7].

Se propostas de caráter compensatório estão presentes no Brasil desde os anos 1970, sob uma lógica perversa de privação cultural, a novidade mais recente parece ser o interesse de importantes economistas nas altas taxas de retorno de investimentos em educação na primeira infância. Além de James Heckman, Prêmio Nobel de Economia em 2000, toda sorte de profissionais vem reproduzindo o mantra de que vale a pena gastar com as crianças. O retorno se daria pelas menores taxas de criminalidade na

---

[4]   Trata-se da "Declaração mundial sobre educação para todos: satisfação das necessidades básicas de aprendizagem", resultante da conferência da Unesco em Jomtien (Tailândia), em 1990.

[5]   Clade, cit.

[6]   Implantado em 1977 pela Legião Brasileira de Assistência (LBA), órgão público assistencial que era presidido pelas primeiras-damas do governo federal. Nota-se desde aí que a educação na primeira infância não era tida como um problema propriamente educacional, mas de assistência social. Embora a LBA tenha sido extinta em 1995, o projeto Casulo sobreviveu em diversas partes do país.

[7]   Ver Maria Aparecida Ciavatta Franco, "Lidando pobremente com a pobreza", em Fúlvia Rosemberg (org.), *Creche* (São Paulo, Cortez / Fundação Carlos Chagas, 1989); Fúlvia Rosemberg, "Organizações multilaterais, Estado e políticas de educação infantil", *Cadernos de Pesquisa*, São Paulo, n. 115, 2002, p. 25-63.

86 | Educação contra a barbárie

vida adulta e pelos melhores resultados na etapa educacional seguinte, o ensino fundamental. Heckman defende que tais investimentos ocorram por meio da oferta de boas creches e pré-escolas e, principalmente, via políticas de formação e remuneração de professores. Tais aspectos, entretanto, costumam ser negligenciados tanto por governos quanto pelos reformadores empresariais da educação, que, não obstante se autodefinam defensores da primeira infância e dos direitos da criança, raramente se debruçam sobre o problema dos custos envolvidos na oferta de uma educação infantil pública, gratuita e de qualidade.

As mensagens (nem tão) subliminares do mercado

O embate sobre os sentidos da educação no campo da primeira infância se distingue *grosso modo* entre a defesa de uma educação infantil oferecida em creches e pré-escolas públicas, gratuitas e de qualidade, tal como preconizado pela legislação brasileira; e a defesa de modelos alternativos e de baixo custo, frequentemente condensados na proposta de que as crianças de até três anos sejam cuidadas e educadas por suas mães no âmbito doméstico.

O documentário *O começo da vida*, lançado em 2016[8], tem sido visto por milhares de pessoas por todo o país e encantado plateias com diferentes perfis. E como é tocante ver bebês em situações tão especiais de interação, experimentação e descobertas... O documentário emociona e evidencia a potência de bebês e crianças bem pequenas, contrariando o senso comum de que eles nada saibam ou de nada sejam capazes. Entretanto, a mensagem mais fortemente presente no filme, e que por vezes nem chega a ser sutil, é a de que o melhor para todas as crianças é que elas sejam cuidadas por suas mães. Nas poucas cenas em que educadoras são ouvidas, a audiência praticamente não percebe que elas estão falando sobre o problema das condições de trabalho nas creches e pré-escolas. Entre entrevistas com economistas, psiquiatras, psicanalistas e outros profissionais, o filme exibe depoimentos de mulheres de diferentes perfis e estratos sociais, que falam sobre as vantagens de terem deixado as suas carreiras ou seus empregos para

---

[8] *O começo da vida* (Maria Farinha Filmes, 2016, 120 min, dir. Estela Renner). O filme é apresentado por Fundação Maria Cecilia Souto Vidigal, Bernard van Leer Foundation, Instituto Alana e Unicef. Parte do material inédito gravado ainda deu origem a uma série homônima, em seis episódios, no Netflix.

cuidarem de seus bebês. Os casos de homens que fizeram essa mesma escolha são, ali, meramente pontuais.

Como é de se esperar, essa cantilena pequeno-burquesa exclui qualquer comentário sobre as desigualdades existentes entre as mulheres que participam do documentário. Gisele Bündchen, modelo internacional, conta no filme que não compra brinquedos para os seus filhos por achar mais importante que eles possam construí-los. Ao mesmo tempo, a jovem moradora de um cortiço em São Paulo afirmou ter sido escolha dela deixar o emprego para cuidar de seu bebê, enquanto era filmada lavando o cabelo de seu pequeno em um banheiro coletivo com um frasco de shampoo Johnson's, uma das patrocinadoras do longa[9]. Ela explica que não acha correto deixar o bebê com uma pessoa qualquer, mas não menciona o fato de que, ainda que optasse por trabalhar, ela teria muita dificuldade para encontrar vaga em creche pública na cidade de São Paulo, onde há enormes filas de espera[10].

A película parece retomar a velha teoria do apego, segundo a qual se o bebê não for cuidado pela mãe, sofrerá danos irreversíveis pelo resto da vida. De outro lado, o "investimento" no "começo da vida" só parece ter valor como capital humano, cujos resultados virão no futuro. Discursos como esse vão na contramão da educação infantil como direito das crianças. Direito que é, diga-se de passagem, fruto das lutas de tantas mulheres, pesquisadores, professores e outros sujeitos da sociedade civil.

Se o documentário tenta nos convencer de suas teses pela via da emoção, a cartilha *Empreendedorismo e negócios de impacto social para a primeira infância* vai muito mais direto ao ponto. Produzido pela Fundação Maria Cecilia Souto Vidigal, que também patrocina *O começo da vida*, o documento visa "apoiar empreendedores interessados em desenvolver negócios de

---

[9] A lista de apoiadores oficiais também inclui Ashoka (organização internacional de empreendedorismo social), Banco Mundial, UBS (empresa global de serviços financeiros), Banco Interamericano de Desenvolvimento (BID), Natura, Huggies (fraldas descartáveis), Amil (plano de saúde), Pom Pom (fraldas descartáveis), ReadyNation International, United Way, entre outros.

[10] Segundo dados da *Folha de S.Paulo*, em dezembro de 2018 a fila contava com quase 19,7 mil crianças. Apesar de imensa, ela é incrivelmente a menor da série histórica; disponível em: <https://www1.folha.uol.com.br/cotidiano/2019/01/fila-para-vaga-em-creche-na-cidade-de-sao-paulo-e-a-menor-da-serie-historica.shtml>.

88 | Educação contra a barbárie

impacto para a primeira infância"[11], e explica quais seriam esses negócios e quem seriam os seus possíveis consumidores:

> As oportunidades para negócios de impacto para a Primeira Infância mantêm relação com os campos em que a carência de produtos e serviços é maior para essa faixa etária. Isso nos leva de novo aos desafios que se colocam para gestantes, famílias e crianças de zero a seis anos, especialmente quando falamos da população de baixa renda.[12]

Dentre os campos onde haveria carência de produtos e serviços, são listados: pré-natal, parto e nascimento; nutrição; parentalidade; saúde da criança; educação; brincadeiras e interação com a natureza. Para cada um deles, são apresentadas possibilidades de produtos e serviços a serem desenvolvidos. Para o campo de atuação denominado "educação", algumas das sugestões de produtos/serviços incluem:

- Creches e pré-escolas de qualidade com *baixo custo*;
- Produção de mobiliário adequado e de *baixo custo* para berçários, creches e pré-escolas;
- Qualificação de profissionais da educação infantil – módulos presenciais e a distância;
- Soluções para espaços lúdicos, com qualidade e *baixo custo*, para creches e pré-escolas;
- Aplicativos com atividades para promover maior aproximação dos pais à vida escolar;
- Aplicativos ou ferramentas voltadas à gestão de creches e pré-escolas;
- Soluções que registrem o histórico de cada criança, de modo a otimizar os dados sobre ela e a favorecer o acompanhamento da evolução da sua vida escolar.[13]

As alternativas de *baixo custo*, velhas conhecidas da educação infantil, voltam à carga sob uma nova lógica: a do "empreendedorismo social".

---

[11] A cartilha foi produzida em colaboração com a Artemisia (organização para o fomento de negócios de impacto social) e a Danone Early Life Nutrition. Ver Fundação Maria Cecilia Souto Vidgal, *Empreendedorismo e negócios de impacto social para a primeira infância* (São Paulo, Fundação Maria Cecilia Souto Vidgal, 2016), p. 4, disponível em: <https://issuu.com/fmcsv/docs/empreendedorismo_e_nis_para_pi_vers>.

[12] Ibidem, p. 52.

[13] Ibidem, p. 56 [grifos meus].

Embora ele procure tingir os negócios de impacto social com um verniz de benevolência, usando a promoção de bem-estar social como um objetivo (ou chamariz) desse tipo de empreendimento, tais negócios não deixam de ser essencialmente lucrativos.

Aqui, também, o papel do Estado é ressignificado. De provedor direto do direito à educação na primeira infância, ele se transforma em uma espécie de "parceiro" dos novos empreendedores sociais, um divulgador privilegiado dos modelos "alternativos" em que as famílias (na verdade, as mães) cuidam e educam suas crianças em casa[14].

O que temos para hoje?

Muitas pesquisas evidenciam que uma boa educação infantil faz diferença na vida das crianças. No Brasil, ela é reconhecida como direito, e o Plano Nacional de Educação 2014-2024 (PNE) define metas e estratégias para que a educação infantil seja garantida com qualidade pelo Estado. A meta 20 do PNE também define o custo para garantir essa qualidade. Educar e cuidar de uma criança em casa não é uma opção para todas as famílias (mulheres), e tampouco, para o Estado, pode ser uma opção oferecer às crianças uma educação qualquer, em um puxadinho que remonte à triste história de projetos como o Casulo.

Em 2016, uma vez mais, o governo Michel Temer desviou a pauta da primeira infância da educação para o âmbito da assistência social, com a criação do Programa Criança Feliz, que, sintomaticamente, tinha como embaixadora a então primeira-dama Marcela Temer. No governo Bolsonaro, os temas da primeira infância, incluindo o Criança Feliz, estão sob a responsabilidade do Ministério da Mulher, da Família e dos Direitos Humanos, dirigido por Damares Alves. Fúlvia Rosemberg utilizou a maldição de Sísifo como metáfora para as políticas de educação infantil no Brasil[15]. Pelo visto, nossa luta para afastar essa imagem tétrica ainda está bem longe de acabar.

---

[14] Ver Rosânia Campos, "A educação das famílias pobres como estratégia política para o atendimento das crianças de 0-3 anos: uma análise do Programa Família Brasileira Fortalecida", *Pro-Posições*, Campinas, SP, v. 20, n. 1, p. 207-24, 2009.

[15] Fúlvia Rosemberg, "Sísifo e a educação infantil brasileira", *Pro-Posições*, Campinas, SP, v. 14, n. 1, 2003, p. 177-98.

Disputas em torno da alfabetização: quais são os sentidos?
Isabel Cristina Alves da Silva Frade

Embora, no Brasil, a escola seja uma das principais instâncias para garantir o direito à alfabetização, esta não é apenas um fenômeno pedagógico e escolar[1]. As lutas em torno da alfabetização e de seus sentidos se estabelecem na relação com fenômenos políticos, culturais, religiosos e escolares mais amplos, e com aspectos que são intrínsecos à própria alfabetização, como sua definição em cada tempo e o que vem associado a essa definição.

Para Magda Soares, "aprender a escrita alfabética é, fundamentalmente, um processo de converter sons da fala em letras ou combinação de letras – escrita –, ou converter letras ou combinações de letras em sons da fala – leitura"[2]. A definição parece simples, mas o problema se coloca quando associamos a alfabetização ao significado das aprendizagens, às práticas sociais de seu uso,

---

[1] Ver Isabel Cristina Alves da Silva Frade, "História da alfabetização e da cultura escrita: discutindo uma trajetória de pesquisa", em Maria do Rosário Mortatti (org.), *Alfabetização no Brasil*: uma história de sua história (São Paulo / Marília, SP, Cultura Acadêmica / Oficina Universitária, 2011), p. 177-99.

[2] Magda Soares, *Alfabetização*: a questão dos métodos (São Paulo, Contexto, 2016), p. 46.

Educação contra a barbárie

ao modo como o aprendiz se apropria desse sistema, às formas de ensinar e ao que cada sociedade espera atingir com a alfabetização. Por isso, o conceito tem sido associado a muitas outras variáveis e também a outras habilidades além daquela apontada pela definição mais específica: a de relacionar letras e sons.

Para participar efetivamente da cultura escrita, são necessárias condições sociais e culturais para se tornar letrado em diversos níveis, sendo o letramento a condição adquirida por grupos e pessoas que utilizam a leitura e a escrita para diferentes fins[3]. Estamos então falando de um direito coletivo. Dessa forma, se pensarmos nos tipos de associação que temos que fazer com a alfabetização ou, ao contrário, no isolamento dessa variável, tomando-a como uma questão meramente técnica ou de solução tecnicista, esse é, sim, um conceito em disputa.

Um exemplo histórico de como a alfabetização passa a se relacionar com a participação social é o que ocorreu com a Lei Saraiva (1881), que proibiu o voto do analfabeto, produzindo uma espécie de interdição ao exercício da cidadania para mais de 80% da sociedade brasileira, que era analfabeta. Afinal, uma sociedade baseada na oralidade não poderia exercer seus direitos políticos? Esta é uma pergunta fundamental para refletirmos sobre a suposta neutralidade do processo de alfabetização.

É corrente a indagação de por que ainda temos, no Brasil, no século XXI, problemas na alfabetização. No entanto, se formos analisar as séries históricas, veremos que passamos de 17,7% de alfabetizados (primeiro censo, de 1872, sem computar a população escrava) para 93% da população com quinze anos ou mais de idade (IBGE, 2017). Os censos mostram que não foi simples o processo de mudança dos índices de alfabetização no país e que a alfabetização é bem distribuída em regiões com menos desigualdade[4]. Isso nos obriga a não cair em mistificações pedagógicas.

Nas décadas de 1980 e 1990, várias pesquisas sobre o fenômeno do fracasso da alfabetização, que girava em torno de 50% na década de 1970, relacionaram os resultados a um processo de reprodução das desigualdades sociais pela escola. Resultados mais atuais da Avaliação Nacional da Alfabetização (ANA), embora utilizados para culpabilizar apenas a pedagogia, também confirmam que os índices de alfabetização são mais baixos onde há mais pobreza. Por outro lado, pesquisas que analisaram o Indicador Nacional de Alfabetismo Funcional (Inaf)[5] mostram que quanto maior o tempo de escolarização de

---

[3] Ver Magda Soares, *Letramento*: um tema em três gêneros (Belo Horizonte, Autêntica, 2000).

[4] Ver Alceu Ferraro, *História inacabada do analfabetismo no Brasil* (São Paulo, Cortez, 2009).

[5] Vera Masagão Ribeiro, Claudia Lemos Vóvio e Mayra Patrícia Moura, "Letramento no

grupos marginalizados (pobres, negros, moradores do campo), maiores são as possibilidades de redução das desigualdades nos usos da leitura e da escrita e das desigualdades de forma geral.

Após esses exemplos extrínsecos à alfabetização, podemos discutir alguns embates mais recentes em torno de sua definição, da metodologia e do tempo para alfabetizar. No Brasil, até a década de 1980 e no plano pedagógico, o foco estava na decisão sobre o melhor método para alfabetizar[6]. Numa síntese do que condicionava essa disputa no Brasil e no exterior, temos os métodos sintéticos – que agrupavam o método alfabético, o silábico e o fônico, todos eles focados na sistematização de letras, sílabas e sons -- e os analíticos – que defendiam começar pelas unidades de sentido, como a palavra, a frase e o texto, para depois fazer análises de sílabas, letras e sons. Até aquele momento, os métodos iam e vinham, cada um desmontando o anterior e radicalizando em superá-lo.

As décadas de 1980 e 1990 também testemunharam descobertas científicas sobre como a criança aprende, sobretudo na perspectiva das pesquisas de Emilia Ferreiro aplicadas à alfabetização, para quem o sujeito é ativo e interage com os objetos de conhecimento, desenvolvendo hipóteses próprias. Essa teoria construtivista não é específica da alfabetização e nem constitui um método de alfabetização, valendo para outros campos de conhecimento e aprendizagens. Junto a essas mudanças paradigmáticas, vieram os esforços pela democratização e pela melhoria das oportunidades escolares, gerando ampliação de vagas e a busca por currículos menos tecnicistas e mais voltados à formação cidadã.

No caso da alfabetização, a ideia de que esse processo não se esgota em um ano e a crítica à seriação, que não respeitava os tempos de aprendizagem, geraram o que veio a se chamar de ciclo de dois anos, que se consolidou como bloco pedagógico de três anos a partir de 2006, com a política de ensino fundamental de nove anos. Quando essa concepção de ciclos é operacionalizada em políticas de formação de professores – como o Pró-Letramento (2007-2012) e o Pacto Nacional pela Alfabetização na Idade Certa (2013-2017) – e em currículos, temos uma ampliação do conceito de alfabetização. O que se almeja, então, é que as crianças compreendam as relações entre letras e sons,

---

Brasil: alguns resultados do Indicador Nacional de Alfabetismo Funcional", *Educação & Sociedade*, Campinas, SP, v. 23, n. 81, 2002, p. 49-70; disponível em: <http://www.scielo.br/pdf/es/v23n81/13931.pdf>.

[6] Ver Maria do Rosário Mortatti, *Os sentidos da alfabetização*: São Paulo, 1876/1994 (São Paulo, Editora Unesp, 2000).

94 | Educação contra a barbárie

se apropriem desse conceito e, ainda, que leiam e produzam os mais diversos textos, próprios de seus contextos, com ajuda do professor e de forma cada vez mais autônoma, considerando os interlocutores, a finalidade que se quer alcançar, o suporte e os modos de circulação dos textos. Essa ampliação, vale frisar, não significa abandonar os investimentos no que é próprio da alfabetização: um trabalho sistemático com as relações entre letras e sons.

Ao se pensar em três anos para esse processo, ou na meta de que as crianças se alfabetizem até os oito anos, não se excluía a necessidade de pensar quais progressões são possíveis dentro desse ciclo, o que a segunda versão da Base Nacional Comum Curricular (BNCC) tentou demonstrar. Naquele documento, publicado em maio de 2016, o que constava no terceiro ano do ensino fundamental era uma espécie de consolidação dos objetivos de aprendizagem e desenvolvimento em relação a casos irregulares de ortografia e uma progressão de habilidades relacionadas à leitura e à produção de textos orais e escritos produzidos em campos de atuação, como o artístico-literário, estudo e pesquisa, vida pública e o cotidiano, entre outros. Em consonância com todo esse processo de ampliação e com vários marcos legais, como as Diretrizes Curriculares Nacionais, respeitava-se o bloco pedagógico de três anos do ciclo de alfabetização. Assim, quando na versão da BNCC que foi homologada, em dezembro de 2017, temos o anúncio de que a alfabetização deverá ocorrer em dois anos, qual a diferença e o que está em jogo?

Se considerarmos as chamadas *habilidades*, que substituíram o termo *objetivos de aprendizagem e desenvolvimento*, constatamos que o que foi previsto para dois anos é menos complexo do que aquilo que se pretendia em três. No entanto, embora notemos que pouco mudou ou mesmo que foram reduzidas algumas exigências, não sejamos ingênuos: essa foi uma decisão política que buscou marcar uma diferença entre as propostas dos dois governos, a do governo Dilma Rousseff e a do governo Michel Temer. Sendo assim, não se pode dizer que ela altere, a curto prazo, práticas pedagógicas já consolidadas, mas certamente repercutirá na interpretação dos resultados da alfabetização, nas propostas de organização das coleções de livros didáticos, na formação de professores alfabetizadores, em processos de retenção das crianças ao final de dois anos, entre outros efeitos.

Até o final do governo de Michel Temer, mesmo com muitas disputas, vários documentos foram produzidos respeitando-se a Constituição, a Lei de Diretrizes e Bases, as Diretrizes Curriculares Nacionais e o Plano Nacional de Educação. Nenhuma dessas políticas se aventurou em discutir o melhor método.

No governo Jair Bolsonaro, um dos principais anúncios feitos logo no início do governo foi o de que a alfabetização seria prioridade. Se ela já está em várias agendas internacionais, como nos relatórios da Unesco, no Plano Nacional de Educação, em ações de movimentos sociais e em políticas educacionais dos últimos dezesseis anos, qual o sentido de anunciá-la novamente? O que está em jogo?

A criação da Secretaria de Alfabetização do MEC gerou fortes movimentos de resistência, sendo um dos exemplos a adesão de 114 grupos de pesquisa, ONGs e movimentos sociais à manifestação pública da Associação Brasileira de Alfabetização e outras entidades ao ministro da Educação[7]. Analisando a criação da Secretaria e os discursos que circulam na mídia sobre a minuta do decreto de alfabetização, em março de 2019, a impressão é que voltamos a duas polêmicas que já se mostraram falaciosas: a de que existe um método melhor para alfabetizar e a de que a solução é meramente técnica e relacionada ao treino da consciência fonêmica desde a educação infantil.

A pedagogia da alfabetização não nega a sua dimensão fonológica, e traz evidências de que, para ensinar a escrita alfabética, todos os métodos de alfabetização precisam lidar com as lógicas que compõem o sistema alfabético – letras, sons, sílabas e suas relações –, mas sabemos que há vários caminhos para organizar essa lógica. Assim, defendemos um conjunto de procedimentos que abordam, ao mesmo tempo, o fonema, a letra, a sílaba, geralmente oriundos de palavras e textos vivenciados pelas crianças, o que agrega sentido à aprendizagem[8].

Uma análise histórica do funcionamento dos métodos no Brasil mostra que o método fônico, amplamente defendido neste governo, esteve presente desde o final do século XIX, teve uma espécie de renascimento na década de 1970 – quando, mesmo assim, o índice de fracasso era enorme – e agora volta, como se essa história nunca tivesse existido[9]. Se a intenção for culpabilizar um conjunto de métodos para reificar apenas um deles, também se desconhece no Brasil a existência de uma pesquisa que demonstre que todos

---

[7] Associação Brasileira de Alfabetização et al. *Manifestação pública da Associação Brasileira de Alfabetização e outras entidades ao ministro da Educação*, jan. 2019; disponível em: <http://abalf.org.br/?page_id=69>.

[8] Ver Isabel Cristina Alves da Silva Frade, *Métodos e didáticas de alfabetização*: história, características e modos de fazer de professores (Belo Horizonte, MEC/Ceale, 2005); Soares, 2016, cit.

[9] Ver Frade, 2005, cit.; Mortatti, 2000, cit.

96 | Educação contra a barbárie

os professores alfabetizadores que obtêm sucesso usem um mesmo método, ou que o resultado ocorra de forma isolada das questões estruturais da escola e da formação docente.

Entre os gestores que hoje concebem a política de alfabetização no MEC, há um grande desconhecimento e equívoco sobre a concepção de alfabetização e a sua relação com o letramento. Eles defendem separar da alfabetização a compreensão e o sentido das aprendizagens, aplicando um tipo de método fônico que tem o treino dos fonemas como pré-requisito. Vários linguistas atestam que é impossível pronunciar fonemas isolados do contexto das sílabas e das palavras. Essa espécie de assepsia entre a alfabetização e o sentido não garante a compreensão de palavras e textos, nem a fluência oral em leitura, habilidades que são mencionadas pela Secretaria de Alfabetização, mas que parecem vir depois da própria alfabetização.

Assim, para criticar o índice de analfabetismo funcional, alega-se que a culpa é a divulgação do letramento. Pois é exatamente a noção de letramento, decorrente do uso social dos textos dentro e fora da escola, que permite compreender por que até mesmo pessoas alfabetizadas não usam esse conhecimento para ler e escrever textos em sua vida social. Assim, se a alfabetização não estiver associada ao seu uso e desenvolvimento e a outras variáveis sociais, continuaremos a ver soluções meramente técnicas para questões muito mais amplas. A suposta autonomia da variável alfabetização é nomeada por alguns pesquisadores como "mito do alfabetismo"[10], que ocorre quando se acredita que basta alfabetizar para que as mudanças sociais ocorram.

Esse tecnicismo reduz a alfabetização a um conjunto de habilidades individuais, obscurece o direito a uma alfabetização plena e põe na sombra a relação entre alfabetização e sociedade.

Ao nos debruçarmos sobre os discursos e ações do atual governo, apresentamos sérias divergências ideológicas quanto à tentativa de associar políticas de financiamento da alfabetização nos estados e municípios à adesão "motivada" a um método exclusivo, o fônico. Entre conseguir mais recursos para formação e materiais didáticos e adotar métodos resultantes do acúmulo pedagógico, que escolha fará o sistema? Os alfabetizadores poderão escolher? O governo vai na contramão da autonomia didática prevista na Constituição Federal, que determina que o ensino será ministrado com base no pluralismo de ideias e de concepções pedagógicas (Artigo 206, III).

---

[10] Ver Harvey Graff, "O mito do alfabetismo", *Teoria e Educação*, Porto Alegre, n. 2, 1990, p. 30-64.

Em tempos de Escola sem Partido, de *homeschooling*, de indícios de transferência da ação de alfabetizar para as famílias, temos uma pauta conservadora que mostra o risco da desescolarização e a possível ausência do Estado na educação infantil e na educação pública. Numa sociedade extremamente desigual, as consequências dessas medidas são alarmantes para a educação e para a alfabetização em seu sentido pleno.

Homeschooling e a domesticação do aluno
Matheus Pichonelli

Em janeiro de 2019, soubemos que o governo Bolsonaro elaborava uma medida provisória (MP) para garantir aos pais a possibilidade de gerenciar o aprendizado dos filhos em casa[1]. A medida fazia parte das metas dos primeiros cem dias do governo, e deveria regulamentar a prática conhecida como *homeschooling*.

Um detalhe chamava a atenção: o porta-voz do projeto não era o ministro da Educação, Ricardo Vélez Rodríguez – provavelmente mais preocupado em fazer registros de crianças cantando o hino nacional em escolas e repetindo um *slogan* da campanha do chefe, Jair Bolsonaro –, mas a titular do Ministério da Mulher, da Família e dos Direitos Humanos, Damares Alves. Em sua defesa, a ministra argumentava que "o pai que senta com o aluno duas, três horas por dia pode estar aplicando mais conteúdo que a escola durante

---

[1] Andréia Sadi, "Damares: educação domiciliar permite a pais ensinar 'mais conteúdo que a escola'", *G1*, 25 jan. 2019; disponível em: <https://g1.globo.com/politica/blog/andreia-sadi/post/2019/01/25/damares-educacao-domiciliar-permite-a-pais-ensinar-mais-conteudo-e-gerenciar-aprendizado.ghtml>.

100 | Educação contra a barbárie

quatro, cinco horas". Não se sabe de onde vieram os dados sobre a otimização do tempo de estudo usados pela ministra, mas a ideia de passar a infância entre os pães de queijo e os ensinamentos dos meus pais, que nunca trabalharam como professores, me soou como as *madeleines* de Proust.

Com base em histórias pessoais e anedotas de conhecidos, resolvi escrever em meu blog no UOL[2] como seriam as aulas na minha casa se a lei estivesse em vigor no já distante ano de 1992 – *spoiler*: não seria nada parecido com o retrato construído por Matt Ross no filme *Capitão Fantástico*, em que o personagem interpretado por Viggo Mortensen decide criar seus seis filhos, articulados, curiosos e responsáveis por si, em uma floresta com estilo de vida rigoroso e sustentável – e avesso ao modelo consumista e acelerado das grandes cidades.

O exercício de imaginação partia de uma dúvida elementar: o que, afinal, cairia na prova? Exemplos de questões (e respostas) hipotéticas:

P: O que a gente ganha quando anda descalço no gelado?
R: Tosse.
P: Que palavra devemos evitar em casa de modo a não atrair coisa ruim?
R: Desgraça.
P: Por que não devemos fazer a barba depois do almoço?
R: Porque vira o olho.
P: O que acontece com o papai se você aparecer em casa com a camisa do Corinthians?
R: Morre.

No romance *O último leitor*[3], o escritor mexicano David Toscana conta a história de um bibliotecário em uma cidade assolada pela fome e pela seca que faz as vezes de professor dentro de casa. Em certa passagem, ele improvisa uma aula sobre clichês, e pede ao filho que enfie uma faca no abdome de um bode. Ao fim do exercício, pergunta se o aluno viu o "horror" nos olhos da vítima – uma expressão usada como muleta, segundo ele, por boa parte dos autores que descreviam a morte sem jamais terem passado perto dela. O exercício servia para mostrar que "o homem tenta se defender, fica horrorizado e tudo isso que dizem os escritores, mas antes do final fica igual a um bode, já não sente terror, mas outra coisa [...]. Sente vergonha". Apesar do impulso inicial, não citei

---

[2] "No ensino domiciliar, o que cai na prova: 'Quem é o lindinho da mamãe?'", *UOL*, 9 fev. 2019; disponível em: <https://matheuspichonelli.blogosfera.uol.com.br/2019/02/09/com-ensino-domiciliar-o-que-vai-cair-na-prova-quem-e-o-lindinho-da-mamae/>.

[3] David Toscana, *O último leitor* (Rio de Janeiro, Casa da Palavra, 2005).

Toscana no texto do blog – menos por falta de espaço do que pela segurança da chibarrada em tempos de interpretação literal.

A ideia era fazer apenas uma paródia despretensiosa da proposta. Faltou avisar aos leitores. Em poucas horas, a crônica havia recebido mais de cem comentários, em um tom que denotava sincronia:

> Péssima matéria! Péssima mesmo! O ensino domiciliar é uma alternativa para reverter o baixo nível de inteligência e aprendizado das crianças brasileiras

> Tenho dois filhos em idade escolar. Acompanho de perto o aprendizado deles. Os professores não têm paciência ou vontade de ensinar. Eu tenho que sentar com eles e explicar a matéria, exemplificar a aplicação do conteúdo e ainda corrigir os trabalhos. Infelizmente hoje a qualidade do ensino em escola pública é muito baixo [*sic*].

> Com o *homeschooling*, os cidadãos poderão acompanhar de perto se seus filhos estão aprendendo bem disciplinas realmente importantes para seu futuro como português, matemática e ciências ou balelas como ideologia de gênero, "Che Guevara herói revolucionário" e "golpe de 2016". Se "progressistas" amargurados com o resultado da última eleição presidencial, caso do colunista que assina esta matéria, estão reclamando, é porque o projeto é bom para o Brasil.

> Texto irônico e desrespeitoso, sem embasamento acadêmico. Eu fui alfabetizada pelo meu pai e quando fui à escola já sabia muita coisa. Tive uma base exemplar! Tudo depende da dedicação e disciplina dos pais.

> Recomendo que o jornalista, autor dessa matéria, se dedique exclusivamente a assuntos relacionados ao futebol. Versar sobre educação exige imparcialidade ideológica e, sobretudo, noção crítica da qualidade da educação que o modelo anteriormente praticado nos deixou como legado.

> Idiota! Essa é a palavra que define o autor dessa babaquice.

Além dos xingamentos (zero surpresa), chamava a atenção o esforço em justificar a proposta com base em duas premissas: o ensino "tradicional" não funciona, os professores são despreparados ou mal-intencionados (vulgo "ideologizados") e, não menos sintomático, o autor, que é jornalista, ou não entendeu a questão ou não quer entender. Na fala dos leitores, a deslegitimação de minha formação como jornalista parecia caber na estratégia de eliminação de intermediários engendrada na comunicação entre governo e cidadãos – e, até novembro de 2018, entre candidato e eleitores.

Para um presidente que quer se comunicar diretamente com a nação por meio das redes sociais, podendo bloquear ou constranger quem ensaia qualquer

102 | Educação contra a barbárie

tipo de contestação, jornalistas e professores, que trabalham na mediação e na depuração da informação e do conhecimento, são quase sempre tratados como ruído ou ameaça. Não é por acaso que, em um de seus últimos discursos em campanha, o agora presidente tenha manifestado seu desejo de viver em um país "sem *Folha de S.Paulo*" – curiosamente, o jornal que revelou o esquema de candidaturas laranjas de seu partido, o PSL[4].

A proposta de instituir o *homeschooling* ocorre em um momento de tensão também na relação entre governo e professores, quando articuladores de propostas como a da Escola sem Partido veem uma possibilidade real de transformar perseguição, intimidação e execração de docentes em política pública.

Daí a desconfiança com o entusiasmo de Bolsonaro e de seus apoiadores em relação ao *homeschooling*, a começar por seu filho Eduardo, que em 2015 apresentou um projeto de lei que autorizaria o ensino domiciliar na educação básica (PL n. 3.261/2015). O tema ganhou evidência em setembro de 2018, quando o Supremo Tribunal Federal decidiu que o *homeschooling* não deveria ser admitido enquanto não houvesse uma lei que o regulamentasse[5].

Com o novo governo, que agora ensaia uma MP, a proposta ganhou força – e levou alguns veículos a prestarem mais atenção na iniciativa e em seus defensores, sem o deboche da crônica que nos trouxe até aqui.

Criada em 2010, a Associação Nacional de Educação Domiciliar (Aned) estima que atualmente 5 mil famílias brasileiras sejam praticantes do *homeschooling*. Segundo a entidade, ao menos sessenta países são adeptos da prática, entre eles França, Portugal e Estados Unidos (onde estima-se haver dois milhões de alunos em ensino domiciliar); na Alemanha e na Suécia, porém, a desescolarização é crime.

Uma reportagem de 2019 da revista *Nova Escola* nos lembra que não há um único modelo para a prática – em alguns casos, os pais ou grupos de pais assumem a tutoria dos estudos; em outros, professores particulares são contratados. As motivações para o ensino domiciliar são variadas:

---

[4] Camila Mattoso, Ranier Bragon, João Valadares, Igor Gielow, Gustavo Uribe e Talita Fernandes, "Bebianno é demitido, e caso dos laranjas do PSL leva à primeira queda de ministro do governo Bolsonaro", 18 fev. 2019, *Folha de S.Paulo*; disponível em: <https://www1.folha. uol.com.br/poder/2019/02/bebianno-e-demitido-e-caso-dos-laranjas-do-psl-leva-a-primeira-queda-de-ministro-do-governo-bolsonaro.shtml>.

[5] "STF nega recurso que pedia reconhecimento de direito a ensino domiciliar", *Supremo Tribunal Federal*, 12 set. 2018; disponível em: <http://stf.jus.br/portal/cms/verNoticiaDetalhe. asp?idConteudo=389496>.

Há famílias que buscam por questões religiosas, prevalência de convicções e valores familiares na educação dos filhos, preservar as crianças de assédio moral ou *bullying*, insatisfação com o ambiente escolar e crença de que a educação domiciliar permitirá melhor qualidade de ensino às crianças e adolescentes.[6]

A matéria reforça que o ambiente escolar proporciona o convívio social, interação, capacidade de falar em público, trabalhar em grupo, desenvolver empatia e interação com opiniões diferentes.

A prática, de fato, é complexa e envolve diversas questões. Em um artigo recente, os pesquisadores portugueses Álvaro Ribeiro e José Palhares mostram que o tema envolve também os papéis de gênero em casa – o que, grifo meu, talvez explique por quê, no Brasil, a bandeira tenha sido empunhada pela ministra cuja pasta tem "mulher" e "família" na descrição[7]. Em Portugal, são as mães quem assumem papel crucial no processo, muitas vezes interrompendo as suas atividades profissionais para se dedicarem ao ensino domiciliar dos filhos. Por trás da defesa da autonomia do educando, os especialistas questionam: autônomo de quê? "Da escola não o será absolutamente, porque terá de se subordinar aos exames nacionais, com tudo o que isso implica em nível de aprendizagem dos conteúdos. Sê-lo-á da sua família?".

Maria Celi Vasconcelos chama a atenção para o que diziam os teóricos da desescolarização décadas atrás, entre eles John Holt e Ivan Illich, que já em 1973 propunham o fim da aplicação de fundos governamentais em educação, desestabilizando o sistema de escolarização, assim como tinha sido feito na separação entre Igreja e Estado[8].

Em 2000, Isabel Lyman descrevia a educação pública como um "sistema de coação baseado em um monopólio bem organizado, financiado por impostos confiscatórios", no qual as crianças, submetidas a um conjunto de "normas draconianas", têm pouco ou nenhum controle sobre o seu tempo e são

---

[6] Laís Semis, "*Homeschooling*: 14 perguntas e respostas", *Nova Escola*, 11 fev. 2019; disponível em: <https://novaescola.org.br/conteudo/15636/homeschooling-14-perguntas-e-respostas>.

[7] Ver Álvaro Manuel Chaves Ribeiro e José Palhares, "O *homeschooling* e a crítica à escola: hibridismos e (des)continuidades educativas", publicado no dossiê "*Homeschooling* e o direito à educação" (*Pro-Posições*, Campinas, SP, v. 28, n. 2, 2017); disponível em: <http://www.scielo.br/scielo.php?script=sci_arttext&pid=S0103-73072017000200057&lng=pt&tlng=pt>.

[8] Ver Maria Celi Chaves Vasconcelos, "Educação na casa: perspectivas de desescolarização ou liberdade de escolha?", ibidem; disponível em: <http://www.scielo.br/scielo.php?script=sci_arttext&pid=S0103-73072017000200122&lng=pt&tlng=pt>.

104 | Educação contra a barbárie

incapazes de escapar da doutrinação ideológica lenta, ou da ação de professores malformados, ou rudes, e da violência dos colegas[9].

O contexto desse tipo de ataque é analisado por Jurjo Torres Santomé, para quem "uma das consequências ocultas, tanto desse movimento antiescolar, como dos que defendem e promovem o ensino privado" é que ambos serviriam para "abrir alas a todos os grupos empresariais e classes mais favorecidas que pedem menos impostos e uma maior redução no gasto público"[10]. Vasconcelos, porém, questiona quem seriam os maiores perdedores em termos de receitas lucrativas originárias das escolas privadas, já que a educação domiciliar é essencialmente preferida pelas classes sociais mais favorecidas.

De toda forma, as reflexões de Torres Santomé parecem servir como chave para compreender o crescimento da popularidade do *homeschooling* no Brasil: uma consequência das mudanças culturais aceleradas, que levaria os membros desses coletivos a idealizarem o passado, imaginando que qualquer tempo pretérito é melhor que o presente, e que, portanto, seria necessária "uma educação que volte a disciplinar as novas gerações para obedecer acriticamente às pessoas adultas".

De fato, saudade do passado e reforço dos signos para a restauração de uma suposta ordem perdida parecem ser marcas deste governo. Nele, a palavra família se converteu em uma unidade moral sob permanente ameaça, como demonstra o próprio presidente ao classificar seu mandato como uma "missão", a ser cumprida

> ao lado das pessoas de bem do nosso Brasil, daqueles que amam a pátria, daqueles que respeitam a família, daqueles que querem aproximação com países que têm ideologia semelhante à nossa, daqueles que amam a democracia. E isso, democracia e liberdade, só existe quando a sua respectiva Força Armada assim o quer.[11]

Nas palavras do presidente, parte da "ameaça" está na sala de aula, onde professores usam livros e kits inexistentes como ferramentas de doutrinação,

---

[9]   Isabel Lyman, *The homeschooling revolution* (Amherst/MA, Bench Press, 2000).

[10]   Jurjo Torres Santomé, "Escola e família: duas instituições em confronto?", em Jurjo Torres Santomé, João M. Paraskeva e Michael W. Apple (org.), *Ventos de desescolarização*: a nova ameaça à escolarização pública (Lisboa, Plátano, 2003), p. 15-56. Citado por Vasconcelos, cit., p. 51.

[11]   Italo Nogueira, "Democracia só existe se as Forças Armadas quiserem, diz Bolsonaro a militares", *Folha de S.Paulo*, 7 mar. 2019; disponível em: <https://www1.folha.uol.com.br/poder/2019/03/democracia-so-existe-se-as-forcas-armadas-quiserem-diz-bolsonaro-a-militares.shtml>.

em uma confusão (apropriada para angariar apoio e acionar o medo como afeto político central) entre educação sexual e incentivo à sexualidade precoce. Já em sua primeira *live* no Facebook depois de eleito, Bolsonaro orientou os pais a rasgarem páginas de materiais que contivessem imagens de órgãos sexuais[12].

Parece preocupante, e é.

---

[12] Paula Ferreira e Renato Grandelle, "Bolsonaro sugere que pais rasguem páginas sobre educação sexual de Caderneta de Saúde da Adolescente", *O Globo*, 7 mar. 2019; disponível em: <https://oglobo.globo.com/sociedade/bolsonaro-sugere-que-pais-rasguem-paginas-sobre-educacao-sexual-de-caderneta-de-saude-da-adolescente-23506442>.

A militarização das escolas públicas[1]
Rudá Ricci

A educação pública brasileira se tornou objeto de desejos estranhos ao mundo da educação. Nos anos 1990, foi percebida como um grande mercado. Empresas se lançaram na captura das redes educacionais públicas. Começaram prestando assessorias técnicas e cursos de formação. Logo, avançaram sobre a venda de apostilas com conteúdo educacional e cursos de formação. Mais tarde, incluíram equipamentos de informática e programas educacionais. Até que começaram a adquirir escolas particulares e praticamente definir a concepção curricular de muitas redes municipais de ensino. Levantamento da ONG Ação Educativa e do Grupo de Estudos e Pesquisas em Políticas Educacionais (Greppe) identificou que, em 2013, 339 municípios brasileiros adotaram sistemas privados de ensino, sendo 159 deles em São Paulo. Em 2015, o número subiu para 182 das 645 cidades paulistas[2].

---

[1] Uma versão expandida desse texto foi originalmente publicada em *Le Monde Diplomatique Brasil*, n. 134, 31 ago. 2018; disponível em: <https://diplomatique.org.br/a-militarizacao-das-escolas-publicas>.

[2] Theresa Adrião et al. *Sistemas de ensino privados na educação pública brasileira*: consequências da mercantilização para o direito à educação (São Paulo, Greppe/Ação Educativa,

108 | Educação contra a barbárie

Em seguida, a educação pública passou a ser palco da disputa do conteúdo a ser ministrado. Escola sem Partido, ONGs que passaram a terceirizar oficinas de reforço ou complementação curricular, fundações e institutos que sugeriram conteúdos ou reformas educacionais às redes públicas. A própria formulação da Base Nacional Comum Curricular (BNCC) foi objeto de uma ofensiva política de grande impacto por empresas e bancadas parlamentares vinculadas a interesses religiosos e empresariais.

Entre as iniciativas de captura das redes públicas de ensino, a mais esdrúxula é a entrega da gestão de escolas às corporações militares. Goiás, Distrito Federal, Roraima, Pará, Amazonas, Bahia, Santa Catarina, Ceará, Tocantins, Sergipe, Piauí. Estados da federação governados por partidos distintos, e até adversários entre si, convergem na adoção da militarização da gestão das escolas públicas. Os motivos alegados são invariavelmente impressionistas, baseados em relatos de violência no interior das escolas. Outras localidades já adotaram ou pretendem seguir esse tipo de política.

A militarização escolar segue um roteiro midiático focado na espetacularização dos casos de violência, como no caso da escola estadual Fernando Pessoa, em Valparaíso, Goiás. Para criar comoção e envolver a comunidade escolar no apoio à implementação da medida, foi divulgado à exaustão o sequestro relâmpago de uma professora da escola, além do assassinato de um ex-aluno e o tráfico de drogas no banheiro da unidade escolar. Um caso grave e extremo que é estampado como se fosse padrão estadual. Em seguida, foram anunciados os convênios que entregaram a administração das escolas a um militar. No caso de Goiás, a direção pedagógica ficou alinhada à Secretaria de Educação, mas essa não é a regra em outros estados. A partir de então, são adotados os princípios militares básicos de hierarquia e disciplina em cada unidade escolar.

Os mesmos argumentos espetaculares e dramáticos foram realçados nas justificativas para a adoção desse modelo de gestão em Sergipe. Destacaram fartamente o caso de um professor de uma escola estadual da cidade de São Cristóvão, baleado por um aluno de dezessete anos insatisfeito com a nota que recebera. Em Aracaju, a diretora de uma escola municipal foi espancada e golpeada com uma caneta por um adolescente de dezesseis anos que acabara de ter sido suspenso por ter causado uma explosão dentro do banheiro da escola. Foi a senha para a instalação do processo de militarização em várias escolas estaduais. A adoção da militarização escolar em diversas regiões do país não

---

2015); disponível em: <http://acaoeducativa.org.br/wp-content/uploads/2016/10/sistemas_privados_pt.pdf>.

diminuiu os casos de violência envolvendo estudantes. O caso mais dramático ocorreu em Suzano, São Paulo, em março de 2019, quando dois jovens mataram cinco estudantes e duas funcionárias da escola estadual em que haviam estudado. Um dos atiradores teria sofrido *bullying* ali, o que indica que as causas de violência não se resumem a um mero comportamento desviante.

Contudo, a superficialidade no tratamento de tema tão complexo e o efeito-demonstração são técnicas adotadas para o convencimento público. Destacam-se não apenas o impacto sobre a redução dos índices de violência, mas os resultados pedagógicos. O desempenho diferenciado dos alunos de escolas militares em exames de proficiência como Prova Brasil e Enem tem dado força à visão de que essas instituições deveriam servir de referencial para as escolas públicas do Brasil.

A situação parece ainda mais grave após a posse de Jair Bolsonaro. Seu principal ideólogo, o astrólogo Olavo de Carvalho, sustentou no primeiro trimestre de 2019 que a educação pública brasileira deveria se prestar à doutrinação de direita, atacando o discurso das lideranças do movimento Escola sem Partido, que pregariam o veto à doutrinação escolar. O adestramento nas escolas e o discurso ideologizado passam a se alinhar com a pregação da coação e da coerção institucionalizadas na educação.

No dia seguinte à posse de Jair Bolsonaro foi publicado o Decreto n. 9.465/2019, que alterou a estrutura do Ministério da Educação (MEC) e criou a Subsecretaria de Fomento às Escolas Cívico-Militares. Segundo o texto do decreto, a função desta é "promover, fomentar, acompanhar e avaliar, por meio de parcerias, a adoção por adesão do modelo de escolas cívico-militares nos sistemas de ensino municipais, estaduais e distrital". Quatro escolas públicas do Distrito Federal, totalizando cerca de 7 mil alunos, passaram a fazer parte de um projeto piloto que inclui militares na gestão.

O que é alterado com a militarização?

Entre as funções dos militares estão as de cunho administrativo – o comandante e o subcomandante fazem parte do corpo diretivo – e as de coordenadores de disciplina, responsáveis por fazer que os alunos cumpram as regras da cartilha militar.

O cotidiano do aluno é profundamente alterado e o aprendizado é substituído pela repressão e por normas rígidas de comportamento. Ele é obrigado a vestir o uniforme militar completo de estudante. Camisa para fora da calça pode gerar advertência. O corte de cabelo dos meninos segue o padrão militar

110 | Educação contra a barbárie

e as meninas devem manter o cabelo preso. Esmalte escuro é proibido, assim como acessórios muito chamativos. Mascar chiclete, falar palavrão ou se comunicar com gírias também são práticas banidas da escola desde que ela se tornou militar. Ao chegarem à escola, o cumprimento passou a ser uma continência. Em seguida são perfilados em formação militar, seguida da revista de um coordenador de disciplina. Uma vez por semana há também a formação geral para cantar o Hino Nacional e o Hino à Bandeira, hasteada conforme o protocolo militar. Ao currículo oficial nacional, os militares adicionaram aulas de música, cidadania, educação física militar, ordem unida, prevenção às drogas e Constituição Federal.

Quem estuda no colégio militar Fernando Pessoa, localizado em Valparaíso, é convidado a "contribuir voluntariamente" com o pagamento de uma matrícula (R$ 100) e de uma mensalidade (R$ 50). O custo para o aluno inclui também a compra do uniforme militar, no valor de R$ 150.

Com a implantação da militarização em diversas escolas, o quadro de docentes passou a ser formado por professores da rede estadual e por policiais militares com licenciaturas específicas.

São distribuídas honrarias aos alunos que atingem médias acima de 8,5 pontos em todas as disciplinas e com registros de bom comportamento.

Militarização do ensino em uma sociedade punitiva

Michel Foucault, em uma série de conferências no Collège de France, tratou da lógica da sociedade punitiva. Para o autor, sociedades contemporâneas não apenas excluem, mas também assimilam o que consideram anormais. O doente apareceria como objeto de um saber científico que o enquadra socialmente. Foucault destaca quatro formas de táticas punitivas:

- A exclusão, que exila;
- A compensação, que impõe reparo à vítima do dano e provoca obrigações àquele que é considerado infrator;
- A marcação, que impinge uma cicatriz, uma mácula simbólica no nome do não ajustado, que humilha e reduz seu status;
- O encarceramento, que gera a reclusão e se impõe como expediente entre os séculos XVIII e XIX.[3]

---

[3]   Michel Foucault, *A sociedade punitiva*: curso no Collège de France (1972-1973) (São Paulo, WMF Martins Fontes, 2015).

A disciplinarização da juventude estaria emoldurada por essa lógica punitivista, definida pelas táticas da compensação e marcação, tal como sugere Foucault. O portal *Desacato* publicou "5 razões contra a militarização de escolas", que sintetiza os principais elementos dessa lógica:

- O despreparo educacional dos policiais, que substituem o debate de ideias pela coerção;
- A adoção do regime disciplinar arbitrário;
- A relativização dos conceitos de direito, garantias e liberdades, subordinados a um rol de deveres;
- A associação da noção de bom cidadão à obediência, mesmo que isso o tolha de suas individualidades e direitos, perpetuando ainda mais as desigualdades e a discriminação;
- A apologia ao regime de dominação rigorosa, reafirmando o ciclo de dominação e violência na qual se formaram.[4]

Outros especialistas corroboram a crítica à política do terror e à instalação do medo para o cumprimento e a aceitação de regras em detrimento do processo educativo. "Resolve a violência por causa do medo da repressão, mas não resolve o problema real", defende Miriam Abramovay, coordenadora do Observatório de Violências nas Escolas. Segundo Abramovay, ao adotar práticas exógenas aos processos educativos, a escola atestaria que se tornou incapaz de superar os quadros de indisciplina, incapaz de educar. O método da disciplina que proíbe o uso de palavrões e de um linguajar mais despojado também é questionado por Abramovay, que também pontua que não há números concretos que comprovem a eficiência dos militares no combate à violência na escola[5].

A Associação Nacional de Pós-Graduação e Pesquisa em Educação (ANPEd), sustenta que o cenário de violência nas escolas tem relação com as condições de trabalho nas unidades escolares que aderiram a esse projeto[6]. O Fórum Estadual de Educação (FEE) de Goiás elencou quatro pontos princi-

---

[4] Disponível em: <http://desacato.info/5-razoes-contra-a-militarizacao-de-escolas>.

[5] Disponível em: <https://www.bbc.com/portuguesenoticias/2014/08/140819_salasocial_ eleicoes_educacao_escola_militarizada_rm>.

[6] Associação Nacional de Pós-Graduação e Pesquisa em Educação, "'Militarização' de escolas públicas – solução?", 3 ago. 2018; disponível em: <http://www.anped.org.br/news/ militarizacao-de-escolas-publicas-solucao>.

112 | Educação contra a barbárie

pais que demonstram a problemática desse novo ambiente escolar aos quais o fórum se opõe:

> Determinar a cobrança de taxas em escolas públicas; implantar uma gestão militar que não conhece a realidade escolar, destituindo os diretores eleitos pela comunidade escolar; impor a professores e estudantes as concepções, normas e valores da instituição militar, comprometendo o processo formativo plural e se apropriando do espaço público em favor de uma lógica de gestão militarizada; reservar 50% das vagas da escola para dependentes de militares.[7]

A coordenadora do FEE-Goiás, Virginia Maria Pereira de Melo, acredita que embora seduzam parte da sociedade, os resultados obtidos nas escolas militarizadas advêm de

> uma situação privilegiada e são decorrentes não da gestão militar, mas das condições diferenciadas efetivamente oferecidas. Caso essas mesmas condições estivessem presentes nas demais escolas públicas, elas e seus profissionais seriam com certeza capazes de assumir o trabalho com a competência necessária.

A professora também aponta como esse caminho tem se afastado do "ideal republicano definido após longos debates no Plano Nacional de Educação, que garante educação pública de qualidade a todos os cidadãos, sem nenhum tipo de distinção"[8].

Um estudo elaborado por Alesandra de Araújo Benevides e Ricardo Brito Soares relativiza a relação entre gestão militarizada e desempenho escolar de seus alunos. Segundo os autores:

> Esta atribuição direta do diferencial como efeito-escola é questionável, dado que seus alunos são diferenciados tanto por características familiares como pelo acúmulo de conhecimentos (condição inicial), e o próprio processo de seleção que as escolas militares estabelecem. Desta forma, estimou-se uma função [...] na qual o efeito-escola está dissociado do efeito de heterogeneidade dos alunos, relacionado tanto a características familiares atuais como a seu acúmulo de conhecimento passado. Utilizou-se o método de pareamento CEM (Coarsened Exact Matching) como estratégia de seleção de amostra para permitir isolar os efeitos dos alunos que já eram bons antes de chegarem ao ano letivo em análise (9º ano do ensino fundamental). O diferencial de desempenho dos alunos

---

[7] Disponível em: <https://feego.fe.ufg.br/n/82211-3-nota-publica-do-forum-estadual-de-educacao-de-goias>.

[8] Disponível em: <http://www.anped.org.br/news/militarizacao-de-escolas-publicas-solucao>.

militares tanto se deve ao fato de estes serem bons alunos quanto à boa estrutura e qualidade das escolas. Quando há o controle da performance anterior dos estudantes, observa-se uma queda de mais de 50% deste diferencial de notas.[9]

Em síntese, o estudo econométrico corrobora os argumentos apresentados pela ANPEd e pela coordenadora do FEE-Goiás.

Entre 2013 e 2018, saltou de oito para cinquenta o número de escolas militarizadas no estado de Goiás. Trinta delas foram retiradas da administração civil da Secretaria de Educação e transferidas para a Polícia Militar. No mesmo período, houve um aumento superior a 200% no número de escolas militarizadas em todo território nacional. Em uma nota técnica da março de 2019, o Centro de Estudos e Pesquisas em Educação, Cultura e Ação Comunitária (Cenpec) cita a discrepância de investimentos: "enquanto o Estado gasta anualmente, em média, R$ 19 mil por aluno da escola militar, empenha três vezes menos no aluno na escola pública civil – apenas R$ 6 mil/ano"[10].

O modelo pedagógico tradicional: a submissão consentida

Do ponto de vista pedagógico, a militarização das escolas públicas se apoia numa velha concepção educacional do início do século XX, sugerida por Émile Durkheim. Para Durkheim, a "submissão consentida" do educando seria um objetivo prioritário da educação para que ocorra a sua socialização. Trata-se de um processo em que se eleva o educando (a criança) de um estágio egocêntrico e selvagem para o de moralização, aceitação de regras de convívio e conduta social.

As regras são prescritas, segundo Durkheim, pela religião e pela educação laica. Tais instituições imporiam regras e normas que garantiriam a coesão social. Em *A educação moral*, Durkheim destaca os elementos da moralidade: o espírito da disciplina, a adesão aos grupos sociais e a autonomia da vontade[11]. A escola teria a responsabilidade de gerar uma moral racional, com refinamento

---

[9]   Alesandra de Araújo Benevides e Ricardo Brito Soares, "Diferencial de desempenho das escolas militares: bons alunos ou boa escola?", em *Anais do XXI Encontro Regional de Economia* (Fortaleza, CE, Anpec/Banco do Nordeste, 2016); disponível em: <https://www.bnb.gov.br/documents/160445/960917/DIFERENCIAL_DE_DESEMPENHO_DAS_ESCOLAS_MILITARES.pdf/7ae9ef81-9687-46cb-b501-766ccef1cba2>.

[10]   "Militarizar não resolve problemas da escola pública", 12 mar. 2019. Disponível em: <https://www.cenpec.org.br/2019/03/noticias/nota-tecnica-cenpec-militarizacao-escola-publica>.

[11]   Émile Durkheim, *A educação moral*. 2. ed. (Petrópolis, RJ, Vozes, 2012).

de sua sensibilidade moral. Ao estudante caberia certa passividade, na medida em que regras morais já estabelecidas socialmente norteariam e adestrariam sua pulsão à liberdade sem regras.

O fundamento de toda concepção educacional tradicional não é construir a autonomia do educando, mas sua submissão. Esse é o centro do debate educacional que o Brasil parece se negar a fazer.

Ao adotarmos políticas imediatistas sem reflexão ou profundidade, alimentadas por intenções populistas e de garantia de resultados espetaculares, ainda que pouco duradouros, nos jogamos na aventura e no desperdício de recursos que afetarão a vida de milhões de estudantes. A militarização das escolas públicas é mais uma faceta da experimentação que assola o meio educacional brasileiro, com resultados pouco estudados e tendo o impressionismo como grande avalista. Mas dados e avaliações rigorosas pouco interessam quando o objetivo é criar um programa espetaculoso que polemiza e atrai a atenção, atalho que pode dizer muito em termos eleitorais, mas também interditar o futuro de nossas crianças e adolescentes.

Religiões afro-indígenas e o contexto de exceções de direitos

Denise Botelho

Refletir sobre a relação entre direitos humanos e religiões afro-indígenas é ter consciência de que, historicamente, o racismo está engendrado na sociedade brasileira desde o período colonial, mas na atualidade tem direcionado seus ataques para as religiões de origem negra e indígena de forma mais veemente, resultando em um crescente número de violências contra seus territórios religiosos.

Levando-se em consideração os processos de submissão a que foram submetidos os povos indígenas e os milhares de africanos e africanas que foram raptados de seu continente, e que foram esquecidos no processo de transição do sistema econômico escravocrata para o de classes, Frantz Fanon aponta que a "independência certamente trouxe aos homens [e mulheres] colonizados a reparação moral e consagrou a sua dignidade. Mas eles ainda não tiveram tempo de elaborar uma sociedade, de construir e afirmar valores"[1], e, na situação de desigualdade, a sua cultura é desvalorizada e discriminada.

---

[1] Ver Frantz Fanon, *Os condenados da terra* (Rio de Janeiro, Civilização Brasileira, 1968), p. 62.

116 | Educação contra a barbárie

Muitos são os equívocos e inverdades que induzem as pessoas a formularem pensamentos e atitudes de ódio contra segmentos religiosos que não conhecem, levando a cotidianas violações de direitos. Tanto a Declaração Universal dos Direitos Humanos quanto a Constituição Federal garantem a liberdade de manifestar a religião e a proteção aos cultos e ritos.

Mas para além das próprias comunidades religiosas, não se tem a possibilidade de conhecer a cultura e os valores das religiões afro-indígenas nas escolas brasileiras, que, no entanto, têm como princípios educacionais o "respeito à liberdade e apreço à tolerância" e a "consideração com a diversidade étnico-racial"[2].

Minha compreensão sobre respeito é que, para desenvolvê-lo minimamente, é necessário conhecer as coisas sem filtros. Portanto, desenvolver apreço à tolerância redunda em uma prática pedagógica muito difícil porque não se conhece a realidade e, também, porque as ideias preconcebidas estão cristalizadas no imaginário popular. Diante da ideia de que certos grupos são superiores e outros inferiores, aprende-se que não é preciso ter apreço por aqueles e aquelas que são considerados inferiores.

Sem respeito, sem apreço e com convicções de superioridade em relação a negros e indígenas, por que considerar a diversidade étnico-racial religiosa? Criamos um impasse para uma sociedade verdadeiramente democrática a partir dos bancos escolares, ao esquecermos que as escolas públicas deveriam seguir o princípio da laicidade. Muitos profissionais da educação não acolhem a legislação educacional, e transformam suas salas de aulas em verdadeiros púlpitos de proselitismo, que conduzem a violências contra sítios religiosos, em sua maioria afro-indígenas.

O fenômeno do racismo religioso é um dos mais importantes nichos de violência que podemos observar em nosso cotidiano. E também um dos mais difíceis de combater, na medida em que esse tipo de violência se funda em uma recusa da diferença e, muitas vezes, em uma posição salvacionista da parte de quem comete intolerâncias ou discriminações. Muitas vezes ouvimos falas que poderiam ser traduzidas como: "estamos realizando a vontade de Deus", "estamos levando as pessoas que professam crenças erradas à salvação". Há quem sustente, inclusive, que estes são atos de "boa-fé". A intolerância seria o gesto de alguém que – acreditando que sua crença é a única verdade possível – quer salvar outras pessoas de terem se "desviado do caminho correto". Um dos grandes problemas deste tipo de argumento é sustentar a imagem de

---

[2]   Lei de Diretrizes e Bases da Educação Nacional (Lei n. 9.394/1996), Art. 3º, incisos IV e XII.

verdade única para a orientação não apenas da minha vida, mas também da vida de outras pessoas.

Sabemos que as religiões não são temas quaisquer na experiência das pessoas: muitas vezes, as religiões são a constituição do próprio sentido da vida. Então, combater uma religião não raro implica em combater um eixo de constituição da identidade de alguém. E uma sociedade que se pretenda democrática deve se ocupar dos efeitos do racismo religioso, na medida em que ele destrói lugares de identificação e marcas culturais que forjam a existência de muitas pessoas como sujeitos no mundo[3].

No Brasil, as religiões de matrizes africanas se configuram por uma tripla marca negativa: a) a exotização e a folclorização de seus elementos, minimizando o valor cultural que a religião tem na vida de seus adeptos e adeptas; b) a demonização, por serem crenças não-cristãs ou não ligadas à cultura que a Europa adotou para si; e c) o racismo, por serem religiões constituídas no Brasil por pessoas negras.

Precisamos sempre lembrar do entrecruzamento entre folclore e racismo. Como lembra Lélia Gonzalez, o racismo é uma espécie de "neurose cultural", que se beneficia de esconder seus sintomas, para – não aparecendo – fingir que não existe, e com isso dificultar seu enfrentamento. Por isso, combater a intolerância religiosa contra as religiões de matrizes africanas é, também, combater o racismo mascarado em nosso país.

Se o nosso espaço social é violento e intolerante, a escola, como lugar onde transitam os valores e os saberes da sociedade, também o será. A escola é um dos lugares onde, além de aprendermos um conjunto de conhecimentos advindos de nossa cultura, aprendemos também uma maneira específica de nos relacionarmos com as outras pessoas, com o mundo e com nós mesmos. Na escola também aprendemos a ser, e somos impelidos a *não ser*. E não aprendemos de qualquer modo.

Aprendemos seguindo as lógicas sociais. E neste aprendizado não apenas reproduzimos, como também exercitamos todos os esquemas excludentes que a sociedade cria e faz funcionar. Como o racismo religioso é um desses modos sociais de exclusão, ele também é reproduzido e exercitado na escola. Apesar de termos um Estado e uma escola pretensamente laicos, é apenas idealização pensar que nossas práticas poderiam simplesmente abrir mão das crenças que

---

[3] Wanderson Flor do Nascimento, "O fenômeno do racismo religioso: desafios para os povos tradicionais de matrizes africanas", *Eixo*, Brasília, v. 6, n. 2, 2017, p. 51-6; disponível em: <http://revistaeixo.ifb.edu.br/index.php/RevistaEixo/article/download/515/279>.

118 | Educação contra a barbárie

sustentamos em nosso cotidiano. A relação entre as nossas próprias crenças e a laicidade da escola se coloca de maneira radical.

Historicamente, a escola de educação básica é um espaço onde opera um dos maiores eixos de exclusão das religiões de matrizes africanas: o ensino religioso. Embora ele não constitua uma disciplina obrigatória, muitas escolas de ensino fundamental, confessionais ou não, trabalham com aulas de ensino religioso. A presença do ensino religioso no Brasil esteve ligada por muito tempo com as crenças cristãs (e em muitos casos, é ainda hoje). Estudantes que tivessem outras crenças religiosas, ou que não tivessem crença alguma, se sentiam constantemente agredidos por esse tipo de atividade educacional.

Com a Constituição de 1988 consolidou-se a liberdade de culto, e o catolicismo deixou de ser a religião "oficial" do Estado brasileiro. Entretanto, não basta uma lei ser promulgada para que o estado de coisas se modifique. Como o ensino religioso, na prática, não deixou totalmente de ser cristão, não criou muitas (embora tenha causado algumas) contendas com as denominações evangélicas/protestantes. Mas o espaço da escola, que nunca lidou muito bem com as religiões de matrizes africanas, ganhou aliados na luta intolerante contra os cultos que tiveram suas origens marcadas por essas heranças.Com a instituição da Lei de Diretrizes e Bases da Educação Nacional (LDB), em 1996, e a efetivação do ensino religioso como disciplina optativa, e com a ênfase do caráter laico da escola (já que o Brasil deixara de ser um país "oficialmente" católico – pelo menos de acordo com a Constituição), gerou-se uma demanda das próprias pessoas envolvidas nas discussões sobre ensino religioso para que este espaço disciplinar fosse rediscutido, desta vez a partir de uma proposta que não abrisse espaço para a intolerância.

Um dos caminhos que gostaríamos de seguir é de que o ensino religioso não deve ser proselitista, mas trabalhar com a perspectiva de uma reflexão crítica sobre práticas que estabeleçam significados sociais, refletindo sobre o chamado conhecimento religioso[4].

A abertura à diversidade religiosa, por meio de uma reflexão crítica sobre culturas advindas de conhecimentos religiosos, também deve passar pelo crivo das reflexões raciais, para que essa noção de crítica não seja hierarquizada e cheguemos à conclusão de que as religiões de matrizes africanas são culturalmente menos sofisticadas do que outras. Por meio da valorização da diversidade de concepções de mundo envolvidas nos fenômenos religiosos,

---

[4]   Ver Fórum Nacional Permanente do Ensino Religioso (Fonaper), *Parâmetros Curriculares Nacionais - Ensino Religioso* (São Paulo, Editora Ave Maria, 1998), p. 21.

poderíamos aprender com um acréscimo de cultura. As percepções de mundo africanas introduzidas em nossos cultos de matrizes afro podem contribuir para a ampliação do marco cultural de compreensão do mundo plural em que vivemos.

Neste sentido, é possível pensar que o ensino religioso poderia ser utilizado por uma escola (inclusive por uma escola laica) para o combate ao racismo religioso. Temos de pensar na hipótese de que um ensino religioso – como ensino *sobre* religiosidades (e não *de* religiosidades), ensino de conhecimentos religiosos –, possa ser utilizado como ferramenta de diálogo e convivência. Mas isto tudo ainda está por ser feito e o diálogo não nasce sozinho. Também precisamos pensar nos espaços envolvidos nesse diálogo.

Embora os objetos propostos pelo ensino religioso possam ser considerados conhecimentos, os conhecimentos religiosos envolvem crenças religiosas, e estes são terrenos delicados, pois não temos um marco referencial crítico (e nem deveríamos ter) para avaliar, comparar e definir o que é certo e o que é errado acerca de nossas relações com a religiosidade.

Isso nos coloca na obrigação de escrutinarmos a nós mesmos(as) na tarefa de pensar de que modo lidamos com a intolerância, como propõe Audre Lorde[5]. Enquanto educadores e educadoras, não podemos compreender a intolerância como um problema apenas de estudantes. Ele é nosso também.

Há uma tensão explícita entre as propostas pedagógicas contemporâneas a partir da experiência de estudantes para organizar o aprendizado e a proposta laica de organização estatal/escolar. Se for verdade que as crenças religiosas fazem parte das comunidades que compõem a escola, como é que a escola deveria lidar com elas, sobretudo quando essas crenças estão em atrito? O que fazer em nossas salas de aula quando nossos conteúdos chamam questões religiosas para a discussão (fora do espaço "protegido" do ensino religioso), sem que a aula se transforme em um campo de batalha?

Lutar para que o espaço da escola seja efetivamente laico talvez seja a nossa melhor ferramenta para evitar conflitos. A laicidade não implica em ser antirreligioso, mas em criar um espaço de convivência discursiva entre as diversas religiões e o seu trato pedagógico. Precisamos refletir o quanto a presença de símbolos de determinados segmentos religiosos no ambiente educacional cumpre um papel de induzir e fortalecer algumas crenças em

---

[5]   Audre Lorde e Susan Leigh Star, "Interview with Audre Lorde", em Robin Ruth Linden, Darlene R. Pagano, Diana E. H. Russell e Susan Leigh Star (org.), *Against Sadomasochism*: A Radical Feminist Analysis (East Palo Alto, CA, Frog in the Well, 1982), p. 66-71.

120 | Educação contra a barbárie

detrimento de outras. É muito fácil, por exemplo, quando discutimos a Reforma Protestante, instaurar um terreno hostil contra o catolicismo. Da mesma forma, é muito fácil, quando falamos de cultura brasileira, apresentar os cultos de matrizes africanas como exóticos, bárbaros ou demonizados. Conhecer um pouco do universo das religiões afro-indígenas é um exercício necessário neste contexto de exceções, em que assistimos de forma assustadora ao crescente avanço da violência contra terreiros, roças, centros, templos de candomblé, jurema, umbanda...

Guerra em campo aberto: as disputas pela mudança estrutural do espaço intelectual brasileiro

Maria Caramez Carlotto

> A sociologia da ciência repousa sobre o postulado de que a verdade de um produto – mesmo que se trate desse produto muito especial que é a verdade científica – reside sobre uma espécie particular de condições sociais de produção; quer dizer, mais precisamente, em um estado determinado da estrutura e do funcionamento do campo científico.
>
> Pierre Bourdieu[1]

Desde a eleição do capitão Jair Bolsonaro, o debate sobre o anti-intelectualismo está definitivamente em pauta no país. Basta conversar cinco minutos com quem atua no sistema de ensino, em qualquer dos seus níveis, ou com

---

[1] Pierre Bourdieu, "La spécificité du champ scientifique et les conditions sociales du progrès de la raison", *Sociologie et Sociétés*, v. 7, n. 1, p. 91-118, 1975, p. 91, tradução própria.

122 | Educação contra a barbárie

quem, por razões diversas, aventurou-se a seguir estudos mais sistemáticos, inclusive na pós-graduação, ou, ainda, com artistas, jornalistas, psicanalistas ou qualquer pessoa que viva ou trabalhe no mundo intelectual para sentir o assombro generalizado e a ironia incontida.

Essa intelectualidade acadêmica – em expansão desde o surgimento das primeiras universidades do país nos anos 1930 – olha incrédula, entre o choque e o riso, para o que interpreta como sinais constrangedores de mediocridade intelectual que emanam do novo governo.

Para aumentar o espanto, a lista de imposturas tem seu epicentro justamente no Ministério da Educação – órgão criado também nos anos 1930, quando uma pequena grande revolução cultural, liderada pelo movimento da Escola Nova, promoveu uma profunda transformação do espaço intelectual do país a partir da afirmação da primazia do Estado, em detrimento da igreja e da família, na definição do caráter laico, racional e crítico da educação nacional, pensada desde aquele momento como um "sistema" estruturado a partir das instituições reconhecidas como acadêmico-científicas, a saber, universidades e demais instituições de ensino superior e de pesquisa responsáveis pela formação de professores para o conjunto do sistema, responsáveis por sua vez pela legitimação do conhecimento produzido e transmitido no seu interior[2].

O "sacrilégio" começou já no discurso de posse do novo ministro. Visto desde o início pela intelectualidade oriunda desse sistema como desprovido de credenciais à altura do posto, Ricardo Vélez Rodríguez confirmou as más expectativas ao terminar sua fala saudando "os jovens" integrantes da nova equipe ministerial "que receberam a benfazeja formação humanística de [...] grandes educadores", em especial Olavo de Carvalho. A saudação foi considerada por nós, intelectuais acadêmicos, um tanto quanto ridícula. Na nossa perspectiva, o termo "jovens" não passaria de um eufemismo: se trataria, na verdade, de gente sem qualificação suficiente para os cargos que passariam a ocupar. A expressão "formação humanística" seria, ela também, um escárnio: o correto seria falar em uma ideologia obscurantista que não passou por nenhum crivo acadêmico minimamente reconhecido. Pior ainda seria definir como "grande educador" um demagogo que nem sequer tem diploma de graduação.

Nos meios mais intelectualizados, comentários sarcásticos se difundiram rapidamente, dividindo espaço com a preocupação diante do que foi visto como um ataque totalmente infundado ao sistema educacional estabelecido.

---

[2] Ver Antonio Candido, "A revolução de 1930 e a cultura", *Estudos Avançados*, v. 2, n. 4, 1984, p. 27-36.

Em vez de defender as instituições de ensino, o ministro optou por legitimar a preocupação "de pais e mães reprimidos pela retórica marxista que tomou conta do espaço educacional", pela "progressiva promoção da ideologia de gênero", pela "tentativa de derrubar nossas tradições pátrias" e pela "tresloucada onda globalista tomando carona no pensamento gramsciano num irresponsável pragmatismo sofístico"[3]. Para além do vocabulário exótico, condenávamos a tese implícita de que o sistema educacional brasileiro seria, na verdade, pouco sério, o que sugeria, antes de mais nada, um profundo desconhecimento do que é a educação no país por parte daquele designado para dirigi-la.

Mas o discurso de posse do novo ministro foi, aos poucos, perdendo destaque diante do que pareciam ser manifestações de mediocridade intelectual ainda mais esdrúxulas: notas oficiais que exibiam, entre um erro de português e outro, teorias conspiratórias infantis ou instruções normativas obtusas; membros do alto escalão que ora mentiam sobre suas credenciais escolares, ora reivindicavam credenciais completamente estapafúrdias; comissões de notáveis desconhecidos; funcionários que viajavam para fora do país para realizar cursos sem qualquer reconhecimento acadêmico; funcionários do corpo técnico que reivindicavam "teorias" amplamente refutadas pela ciência há, pelo menos, dois séculos. Os exemplos aumentavam na mesma medida de nossa indignação com o que considerávamos expressões inaceitáveis de anti-intelectualismo.

Antes de qualquer coisa, é preciso reconhecer que para qualquer pessoa formada e legitimada pelo atual sistema educacional do país, estruturado em torno dos procedimentos e conteúdos da ciência e filosofia modernas, é quase impossível se dissociar dessa perspectiva crítica. Por outro lado, meu argumento central aqui é que o momento exige um passo além – ou aquém – da necessária indignação de quem olha esse processo apenas a partir da sua posição no espaço de produção e difusão de conhecimento.

Em outras palavras, o apego à nossa condição de "intelectual" – ou seja, de pessoas formadas e legitimadas por um sistema educacional estruturado por critérios acadêmico-científicos e estabelecido no país há quase cem anos – não deve nos cegar para o fato de que podemos estar diante de uma transformação muito mais profunda do espaço intelectual brasileiro ou, se quisermos, de uma mudança estrutural na sua ordenação e funcionamento[4].

---

[3]   O discurso de posse de Ricardo Vélez Rodríguez está disponível em: <https://novaescola.org.br/conteudo/14877/discurso-de-ricardo-velez-rodriguez-que-mudancas-esperar-no-mec>.

[4]   Maria Caramez Carlotto, "Inevitável e imprevisível, o fortalecimento da 'direita' para além da dicotomia ação e estrutura: o espaço internacional como fonte de legitimação dos *think*

124 | Educação contra a barbárie

Não são, portanto, simples rompantes de anti-intelectuais que desprezam completamente a educação e o conhecimento. É um pouco mais do que isso. Trata-se de um outro perfil de intelectual, que reivindica, por sua vez, uma nova concepção de educação e saber[5]. Não se empenham numa destruição pura e simples do espaço de produção e difusão do conhecimento mas, antes, se armam para operar nele uma intensa e longa disputa pelos critérios de geração e legitimação da verdade.

É fato que as lutas pela definição do que é um bom conhecimento – ou seja, uma boa ciência, um bom ensino, uma boa escola, uma boa universidade – são da própria natureza da atividade intelectual, que nunca se organizou como uma "comunidade" que em tudo concorda. Como a essência da vida intelectual é, justamente, a crítica aberta, estamos sempre imersos em longas e duras controvérsias[6].

Mas é fundamental reconhecer que vivemos, hoje, uma mudança radical nessa dinâmica. Não é mais possível pensar na existência de um "campo acadêmico ou científico" no sentido de uma esfera relativamente autônoma, cujas regras de definição da verdade são amplamente reconhecidas por todos que se engajam nas suas batalhas internas[7]. A disputa extrapolou fronteiras, e se tornou uma guerra em "campo aberto" sem regras pré-estabelecidas. Isso significa que todos os critérios atualmente reconhecidos de certificação e legitimação do conhecimento estão em disputa, e que, portanto, as hierarquias que nós, "intelectuais", aprendemos a reconhecer e a naturalizar estão, elas também, em questão[8]. É por isso que não se trata de qualquer mudança, mas de uma

---

tanks latino-americanos", *Plural*, São Paulo, v. 25, n. 1, 2018, p. 63-91; disponível em: <https://www.revistas.usp.br/plural/article/view/149014>.

[5] Ver Tatiana Roque, "Intelectuais de internet chegam ao poder: a luta de classes do saber", *Le Monde Diplomatique*, n. 138, 6 fev. 2019; disponível em: <https://diplomatique.org.br/intelectuais-de-internet-chegam-ao-poder-a-luta-de-classes-do-saber-2>.

[6] Ver Robert K. Merton, *Ensaios de sociologia da ciência* (São Paulo, Editora 34, 2013); Isabelle Stengers, *A invenção das ciências modernas* (São Paulo, Editora 34, 2002).

[7] Pierre Bourdieu, *Os usos sociais da ciência* (São Paulo, Editora Unesp, 2004).

[8] Uma ilustração exemplar desse fenômeno foi o recente embate entre a antropóloga Débora Diniz, atualmente professora da Universidade Brown, e o escritor Olavo de Carvalho. O cerne da discussão entre eles foi, justamente, os critérios de certificação do conhecimento que, por sua vez, permitem definir afinal quem poderia ou não se reivindicar intelectual. A disputa é tão estrutural, que não é pouco significativo que enquanto Diniz escreve um artigo, Olavo de Carvalho responda em vídeo, o que sugere que a transformação em curso envolve até mesmo os meios técnicos que, tradicionalmente, comportam os debates intelectuais. Em outras palavras,

mudança estrutural em que as definições mais básicas do que é um intelectual, de como ele se forma, de como avaliamos e certificamos essa formação e de que conhecimento ele transmite estão em questão e podem mudar radicalmente nos próximos anos.

Reconhecer que a condição de intelectual é objeto de disputa e que, portanto, não apenas se transforma historicamente como depende de relações de força, não implica negar a importância de preservarmos um conceito normativo de conhecimento e, portanto, de atividade intelectual. Ao contrário, justamente porque, por trás desse embate pela definição do que seja um intelectual está, na realidade, uma disputa pelos critérios de estabelecimento da verdade, ou seja, do conhecimento empiricamente embasado e conceitualmente consistente, nunca foi tão fundamental estabelecer critérios rígidos para definir qual a melhor forma de conhecimento e o que se espera de um bom intelectual.

É por isso que nossa tarefa histórica tornou-se defender de modo intransigente que o conhecimento produzido pelas instituições, procedimentos e metodologias científicas modernas é, sim, a melhor forma de conhecimento possível.

No entanto, mesmo reconhecendo o caráter mais objetivo, racional e universal do conhecimento que produzimos, a guerra aberta em que estamos imersos nos obriga a adotar uma perspectiva menos naturalizada e, portanto, mais política e, em certo sentido, mais humilde da nossa própria atividade. Ao reconhecermos que a definição de "atividade intelectual" e do seu produto, "a verdade", depende de condições históricas específicas e, portanto, é produto de disputas políticas e sociais, entendemos a importância de nos engajarmos coletivamente na guerra em curso, reconhecendo a importância e a magnitude dessa disputa.

Politicamente falando, a implicação imediata disso é que se torna cada vez mais urgente a organização dos intelectuais oriundos do atual sistema de conhecimento na defesa das condições históricas ideais para a realização de nossas atividades, das quais depende tanto a produção de conhecimento objetivo e racional, ou seja, verdadeiro, quanto a sua reprodução e transformação por profissionais formados a partir desse mesmo conhecimento.

Mais do que isso, precisamos nos engajar de modo ainda mais decisivo na urgente e radical tarefa de democratizar esse conhecimento. Não só por meio da defesa e da ampliação dos mecanismos de acesso e permanência no

---

a cultura letrada, porta de entrada para a vida intelectual na sua acepção tradicional, parece estar, ela também, em questão.

126 | Educação contra a barbárie

nível mais alto do atual sistema de ensino – a saber, as universidades e demais instituições de ensino superior e de pesquisa – mas também da formação e da valorização dos profissionais que atuarão em todo o sistema de ensino – ou seja, os professores da educação básica e da formação técnica. Não só por meio da promoção de iniciativas de divulgação filosófico-científica, mas também da compreensão de que o conhecimento não é neutro e nem monopólio das instituições ditas "acadêmicas" e, portanto, pode e deve ser produzido por meio de dinâmicas e metodologias que contemplem ampla participação social. A desvalorização do conhecimento científico e filosófico está baseada, essencialmente, na sua incompreensão. Quanto mais aberto for o sistema de produção e difusão de conhecimento, mais fará sentido, para a sociedade, defendê-lo.

Não é por acaso que os mesmos que deslegitimam o atual sistema de ensino e pesquisa, reivindicando critérios intelectuais estranhos às modernas instituições de produção e reprodução do conhecimento, sejam os mesmos que defendem reservá-lo para uma pequena "elite meritocrática", por meio da suspensão dos projetos de expansão do ensino superior público, da revisão da lei de cotas, da restrição orçamentária e, em último caso, da cobrança de mensalidades nas instituições públicas de ensino superior. São eles, também, que defendem o recrudescimento de uma métrica burocrática de avaliação da atividade intelectual – métrica que, sob o falso lema da excelência, favorece um produtivismo inócuo ou, até mesmo, um perfil de produção intelectual baseado exclusivamente em critérios "internacionais", que pouco ou nada dizem sobre a pertinência desse conhecimento para as realidades locais. São os mesmos, por fim, que reivindicam o fechamento de todo o sistema educacional sobre si mesmo por meio da defesa de uma neutralidade ideológica tão falsa quanto estéril. A guerra está declarada. Resta a nós – que acreditávamos até ontem sermos os únicos intelectuais no campo de batalha – reconhecer, enfim, a iminência e a realidade dessa disputa.

Obscurantismo contra a liberdade de ensinar

Alexandre Linares e José Eudes Baima Bezerra

> Numa escola pública no estado mais rico da federação, a caixa de giz vazia. Não mandaram a verba para compra de materiais. Não há diários para todos. Para rodar a prova, uma vaquinha entre professores. Professores que acumulam mais de 20% de perdas salariais em cinco anos. Um quinto do salário. Esta é a escola na qual querem proibir até o professor de discutir e dialogar.
>
> Professor de uma escola estadual da Zona Leste de São Paulo

A censura ao ato de lecionar é muito anterior aos projetos de lei espalhados pelo Brasil sob a rubrica "Escola sem Partido". Há anos ela se expressa na forma de "professores mal pagos, em escolas abandonadas e sob estafantes

128 | Educação contra a barbárie

jornadas de trabalho que continuam fora do horário escolar"[1], fatores que, em grande parte, já interditam o livre exercício da docência. Sob o capitalismo, a interdição do ato de ensinar, ao menos para as grandes maiorias, surge como um traço distintivo do próprio sistema vigente[2].

Uma confirmação disto emerge do próprio fato de que conquistas educacionais das massas, via de regra, decorreram da pressão social sobre o Estado, e não como desdobramentos automáticos dos regimes liberal-democráticos, como observa Engels[3], alarmado com a pouca disposição da burguesia em prover ao povo qualquer instrução, favorecendo a introdução precoce das crianças no trabalho fabril.

Obviamente, ao longo das décadas, a classe trabalhadora impôs à burguesia e a seus governos, embora em um quadro de desenvolvimento nacional desigual, um crescente acesso aos meios de aprendizagem, especialmente na forma da constituição de grandes redes públicas de ensino. Tal processo, no entanto, não ocorreu sem desigualdades internas no que diz respeito à qualidade da educação ofertada nessas redes públicas.

Visto assim, a luta das massas trabalhadoras pela escola também foi a luta contra a censura aos conteúdos que lhes eram negados; a luta pelo saber que a escola de má qualidade sempre interditou ao povo.

Um instrumento de ataque à escola pública e ao professorado

Por todos os cantos, consultorias oferecem a governos "soluções inovadoras". Fundações ligadas a bancos e a grandes empresas passam a ser articuladoras e integrantes de políticas governamentais que visam drenar recursos públicos, desmontando e desconstruindo o direito à educação. O eixo é sempre o mesmo: atacar os docentes. Entre governantes e gestores, repete-se a ladainha de que o professor é desqualificado. Esta afirmação, tomada como inquestionável, tem legitimado o discurso dos adeptos do movimento Escola sem Partido, segundo o qual o professor é um doutrinador-pervertido.

---

[1] Lincoln Secco, "Combater ideologização em sala de aula é censura? Sim", *Folha de S.Paulo*, 18 jul. 2015; disponível em: <https://www1.folha.uol.com.br/opiniao/2015/07/1657379-combater-ideologizacao-em-sala-de-aula-e-censura-sim.shtml>.

[2] Ver Dermeval Saviani, "Educação socialista, pedagogia histórico-crítica e os desafios da sociedade de classes", em José Claudinei Lombardi e Dermeval Saviani (org.), *Marxismo e educação*: debates contemporâneos (Campinas, SP, Autores Associados, 2005, p. 223-74), p. 227.

[3] Friedrich Engels, *A situação da classe operária na Inglaterra* (São Paulo, Boitempo, 2010).

Um comentarista que influencia muito o campo do Escola sem Partido afirmou, em entrevista recente, que "o ideal seria acabar com o Ministério da Educação (MEC)", pois ele "não serve para nada"[4]. Para o criador do movimento Escola sem Partido, Miguel Nagib, é preciso definir como "crime" o debate de ideias nas escolas. Seus apoiadores incentivam alunos a filmar e denunciar professores que propõem debates contrários às opiniões do movimento. Buscam constranger e disseminar o medo na sala de aula. Professam uma escola que não ensine, que não discuta e que não reflita sobre os problemas sociais, filosóficos e científicos. "Ideologização" virou uma palavra mágica para explicar tudo o que há de ruim nas escolas. De quebra, serve para justificar o corte nas verbas para a educação pública, sob o pretexto de que os baixos índices alcançados pelas escolas nos rankings seriam fruto de uma suposta degradação ideológica do ambiente escolar.

Origens da declaração de guerra

O movimento Escola sem Partido liga-se aos setores mais reacionários da sociedade, e nos últimos tempos tem encontrado um ambiente propício para difundir e vocalizar posições tidas como superadas na sociedade brasileira. Seus apoiadores passaram trinta anos acabrunhados nas sombras, eclipsados pela força das organizações do movimento dos trabalhadores, dos movimentos populares e da juventude.

Mas a derrota advinda do golpe de 2016, a complacência (ou o apoio) dos meios de comunicação e a situação desesperadora do financiamento da educação, em especial a partir da aprovação da Emenda Constitucional 95/2016, proporcionaram o cenário de desalento adequado a tornar crível a assertiva de que a ideologização na educação vinha substituindo o ensino propriamente dito desde o fim da ditadura, resultando em fracos resultados escolares.

Obviamente, as teses do Escola sem Partido não resistem à mais simples recuperação histórica da educação brasileira, cuja trajetória de atraso e abandono, própria de um país que se mantém ao longo dos séculos em condição semicolonial, joga por terra a ideia simplória da doutrinação comunista, da formação de militantes no lugar da instrução etc.

A vitória de Lula em 2002, produto do movimento de massas que levou o PT ao governo federal, fez recrudescer nas entranhas das instituições

---

[4] Luiz Felipe Pondé, "Feche o MEC", *O Antagonista*, 22 mar. 2019; disponível em: <https://www.oantagonista.com/brasil/feche-o-mec>.

130 | Educação contra a barbárie

brasileiras (Forças Armadas, Judiciário) posições que passaram a propagandear ideias contrárias às liberdades democráticas e aos direitos sociais conquistados a partir do final dos anos de 1970 e dos últimos anos de luta contra a ditadura.

O próprio movimento Escola sem Partido foi criado em 2004, bem antes da circulação mais recente de ideias reacionárias no Brasil, e se tornou um braço do portal Mídia Sem Máscara, criado em 2002 pelo astrólogo Olavo de Carvalho. Com o golpe de 2016, esses movimentos ganharam projeção e evidência, até ocuparem espaços no atual governo de extrema-direita.

Hostil à democracia, o Escola sem Partido lidera uma cruzada medieval contra a liberdade de ensinar, e faz parte de um movimento reacionário mais geral contra os direitos sociais. Por isso é que miram na escola pública. Sob o argumento de que ela é o terreno privilegiado da doutrinação de esquerda, adeptos desse movimento buscam não apenas expurgar uma visão partidária fantasiosa, mas introduzir na rede escolar métodos de gestão que acentuam valores privado-familiares em substituição a um ensino laico e científico.

Aqui, o Escola sem Partido encontra seu vínculo com as agendas de reforma educacional operadas desde os anos 1990, e que vêm se caracterizando pela adoção de um financiamento diversificado (não apenas público), com a contrapartida do controle parcial ou total do projeto político-pedagógico e do modelo de gestão das escolas por parceiros empresariais e por uma reforma curricular que, de fato, suplanta a perspectiva de uma formação geral e humanista.

Munidos das técnicas das guerras culturais, os publicistas do Escola sem Partido escolhem, ou simplesmente criam, temas escandalosos para atacar. Não raro arguem com o texto bíblico a fim de estigmatizar o ensino das ciências. Preconceitos que ainda encontram eco na sociedade são mobilizados como aríetes do movimento, justamente pelo seu potencial de escandalizar e gerar indignação, especialmente contra professores.

A cruzada anticivilizatória do Escola sem Partido é a da negação da instituição escolar moderna, que opera precisamente uma ruptura entre o conhecimento doméstico-familiar, baseado no senso comum e em todos os preconceitos e mitos que o envolvem, e o conhecimento elaborado, fruto da pesquisa ou da demonstração. As famílias, na sua própria intuição, enviam seus filhos à escola porque sabem que ela pode fornecer um saber de outro tipo: mais complexo, abrangente e explicativo da vida. A ideia de submeter e limitar o ensino escolar ao que é aceitável às famílias, à reprodução de uma visão de sua mundo privada, liquida o próprio conceito de escola.

É bom lembrar que esse desiderato constitui o combate histórico e cotidiano dos professores contra um dualismo escolar que se expressa nas desigualdades entre instituições escolares públicas e privadas. Nesse tabuleiro, a escola pública ocupa um lugar de transmissora inferior de conhecimentos, agência privilegiada de preparação para funções subalternas.

As instituições brasileiras e o obscurantismo

Os partidários da doutrina do Escola sem Partido têm ganhado enorme espaço nas instituições brasileiras. O Judiciário, baluarte da oligarquia brasileira, tem fortalecido sua condição de esteio dos interesses conservadores e reacionários. Com efeito, a decisão do Supremo Tribunal Federal, que em 2017 considerou válido o ensino religioso confessional nas escolas públicas, deu fundamento legal ao proselitismo religioso nas escolas, tão presente na nossa história, mas que contraria o princípio de laicidade, fundador da escola brasileira desde a proclamação da República. Ainda em 2017, a "presidente do Supremo Tribunal Federal (STF), Carmen Lúcia, decidiu pela não validade da regra que determinava a aplicação de nota zero ao candidato que desrespeitar os direitos humanos na redação do Exame Nacional do Ensino Médio (Enem)"[5], acatando ação da Associação Escola sem Partido.

Essa espiral reacionária tomou novo fôlego com a posse de Jair Bolsonaro, que nomeou apoiadores do Escola sem Partido para diversas funções públicas no Ministério da Educação e em outros órgãos. Até aqui, as iniciativas do MEC têm sido atabalhoadas e circunstanciais, o que pode ser atribuído às disputas entre os distintos setores da extrema-direita pelo controle do aparato estatal. No entanto, o simples fato de esses grupos estarem encastelados no MEC já lhes permite dar um passo maior no conjunto de ataques contra a liberdade de ensinar e contra a natureza mesma da escola.

Neutralidade da escola?

A vida em sociedade é, desde sempre, uma vida política. Os apoiadores do Escola sem Partido exigem o impossível: uma pretensa neutralidade diante dos conflitos e contradições presentes em nossa sociedade. Esquecem

---

[5]   *O Globo*, 4 nov. 2017; disponível em: <https://oglobo.globo.com/sociedade/educacao/enem-e-vestibular/carmen-lucia-mantem-liminar-regra-sobre-direitos-humanos-nao-zera-redacao-no-enem-22029758>.

132 | Educação contra a barbárie

que a "educação não vira política por causa da decisão deste ou daquele educador"[6]. Portanto, "agir como se a educação fosse isenta de influência política é uma forma eficiente de colocá-la a serviço dos interesses dominantes"[7].

A "neutralidade" propalada pelo movimento Escola sem Partido é um mito que encobre uma ação partidária associada a agendas da direita e da extrema-direita, e que ataca frontalmente a liberdade de ensinar. Demerval Saviani resume bem o projeto:

> Ao proclamar a neutralidade da educação, o objetivo é o de estimular o idealismo dos professores fazendo-os acreditar na autonomia da educação em relação à política, o que os fará atingir o resultado inverso ao que estão buscando: em lugar de, como acreditam, estar preparando seus alunos para atuar de forma autônoma e crítica na sociedade, estarão formando para ajustá-los melhor à ordem existente e aceitar as condições de dominação às quais estão submetidos.[8]

Combater a censura é defender a educação pública

A noção de escola pública moderna se consolidou com a Revolução Francesa. Condorcet, deputado na Assembleia Nacional Francesa, apresentou em abril de 1792 o "Relatório e projeto de decreto sobre a organização geral da instrução". Seu ponto de partida era revolucionário, ao afirmar que a educação "é um dever da sociedade para com os cidadãos"[9]. Condorcet, que defendia o acesso pleno da mulher à educação e a separação entre religião e escola, também era defensor de uma escola aberta à pluralidade de ideias e do livre debate no processo educativo – leitura obrigatória para enfrentar o retorno do obscurantismo medieval à escola pública. Sempre à escola pública, reparem, pois os ataques à liberdade de ensinar são muito menos frequentes nas instituições privadas.

A escola não está acima e nem fora da sociedade. O aprendizado se dá em contato com os problemas concretos do mundo. O movimento Escola sem Partido tenta minar nas escolas a conexão entre os problemas

---

[6] Paulo Freire, *Pedagogia da autonomia*: saberes necessários à prática educativa (São Paulo, Paz e Terra, 1996), p. 110.

[7] Demerval Saviani, "'Escola sem Partido': o que isso significa?", *Portal Vermelho*, 8 set. 2017; disponível em: <http://www.vermelho.org.br/noticia/301679-1>.

[8] Idem.

[9] Condorcet [Marie Jean Antoine Nicolas de Caritat], *Cinco memórias sobre a instrução pública* (São Paulo, Editora Unesp, 2008), p. 17.

do mundo e o aprendizado dos conhecimentos socialmente construídos e acumulados pela humanidade. Querem que a escola não seja palco dos debates da sociedade.

Onde houver um partidário da escola pública, a luta pela liberdade de ensinar deve ser travada. Essa luta é de cada sindicato, de cada entidade estudantil, de todo defensor do direito à educação gratuita, laica e de qualidade. Essa luta passa pela defesa de todos os fundamentos democráticos conquistados pela luta dos trabalhadores e do povo, inclusive no terreno das políticas educacionais. A velha bandeira de uma educação livre de toda censura, de todo dogma e de todo misticismo ganha, neste início de século, uma surpreendente e preocupante atualidade. Estamos todos convocados a cerrar fileiras para defender uma educação que, democratizando a instrução pública, seja um ponto de apoio para a produção do conhecimento humano. Uma ferramenta para a civilização contra a barbárie.

A "ideologia de gênero" existe, mas não é aquilo que você pensa que é

Rogério Diniz Junqueira

Assistimos nos últimos anos à emergência de um discurso reacionário que, entre outras coisas, afirma haver uma conspiração mundial contra a família. Segundo ele, a escola tornou-se o espaço estratégico para a imposição de uma ideologia contrária à natureza humana: a "ideologia do gênero". Engajados nessa agenda global, os professores, em vez de cumprirem o currículo, buscariam usurpar dos pais o protagonismo na educação moral de seus filhos para doutriná-los com ideias contrárias às convicções e aos valores da família. Para aniquilá-la por meio do cancelamento das diferenças naturais entre homens e mulheres, esses inimigos da família procurariam confundir as crianças, obrigando, por exemplo, os meninos a vestirem saias e a brincarem de bonecas, enquanto as meninas seriam instigadas a se livrarem de sua natural propensão a cuidar dos outros. Em um esforço de "erotização das crianças" desde a mais tenra idade, alunos seriam estimulados a se interessarem por masturbação, homossexualidade, transexualidade, prostituição, aborto, poligamia, pornografia, pedofilia, bestialismo etc. Alarmados, pais são convocados a se unirem em uma cruzada em "defesa da família" (referida sempre no singular),

136 | Educação contra a barbárie

embalados em lemas como: "Abaixo a ideologia de gênero!", "Salvemos a família!", "Respeitem a inocência das crianças", "Meu filho, minhas regras!", "Meninos vestem azul, meninas vestem rosa!", entre outros.

Em dezenas de países, a arena pública tem sido tomada por mobilizações voltadas a eliminar ou reduzir as conquistas feministas, a obstruir a adoção de medidas de equidade de gênero, a reduzir garantias de não discriminação, a entravar o reconhecimento dos direitos sexuais como direitos humanos, e a fortalecer visões de mundo, valores, instituições e sistemas de crenças pautados em marcos morais, religiosos, intransigentes e autoritários.

Escolhida como um dos principais alvos dessa ofensiva reacionária transnacional, a escola foi colocada no centro de um debate público em que os desafios relativos às garantias ao direito à educação cedem lugar a abordagens voltadas a deslegitimar a liberdade docente e a desestabilizar o caráter público e laico da instituição escolar como espaço de formação crítica e de socialização para o convívio social, plural, cidadão e democrático.

Uma invenção católica

A maioria dos estudiosos[1] do tema concorda que o sintagma (a expressão) "ideologia de gênero" é uma invenção católica que emergiu sob os desígnios do Pontifício Conselho para a Família e da Congregação para a Doutrina da Fé, entre meados da década de 1990 e o início dos 2000, no bojo da formulação de uma retórica antifeminista sintonizada com o pensamento e o catecismo de Karol Wojtyla, o papa João Paulo II.

O pontificado do polonês foi marcado pela radicalização do discurso da Santa Sé sobre moralidade sexual. Ao fazer da heterossexualidade e da família heterossexual o centro de sua antropologia e de sua doutrina, o pontífice produziu uma teologia cujos postulados situam a heterossexualidade na origem da sociedade, e definem a *complementaridade* entre homens e mulheres no casamento como fundamento da harmonia social. A assim denominada Teologia do Corpo encontrou uma de suas mais nítidas formulações na *Carta às famílias* (1994) de João Paulo II, fornecendo fundamentos e

---

[1] Em outro texto investiguei a emergência do discurso antigênero e a elaboração do sintagma "ideologia de gênero" por meio da análise de documentos eclesiásticos e textos de autores religiosos e laicos, em diálogo com estudiosas como Sara Garbagnoli e Mary Anne Case. Ver Rogério Diniz Junqueira, "A invenção da 'ideologia de gênero': a emergência de um cenário político-discursivo e a elaboração de uma retórica reacionária antigênero", *Psicologia Política*, São Paulo, v. 18, n. 43, p. 449-502, 2018.

parâmetros para a elaboração de uma retórica antifeminista que animaria a ofensiva antigênero. De fato, mesmo quando acionado por atores de diversas orientações religiosas, ou até laicos, o discurso antigênero é pautado pelos preceitos ideológicos dessa teologia. Em outras palavras, o discurso antigênero possui matriz católica.

Outro nome de destaque da galáxia antigênero é o do cardeal alemão Joseph Ratzinger, posteriormente papa Bento XVI. Também envolvido na formulação da doutrina da complementaridade, Ratzinger manteve um ataque permanente ao relativismo cultural, ao feminismo, à liberdade sexual e à homossexualidade. Em uma de suas várias publicações sobre o tema, *O sal da Terra* (1996), afirmou ser o conceito de "gênero" uma insurreição do homem contra seus limites biológicos. Em sua célebre *Carta aos bispos da Igreja Católica sobre a colaboração do homem e da mulher na Igreja e no mundo* (2004), alertou que o conceito inspirava ideologias promotoras do questionamento da família e da equiparação da homossexualidade à heterossexualidade. Para o então cardeal, a homossexualidade não deveria ser geradora de direitos.

Para a construção do sintagma "ideologia de gênero" e da retórica antigênero, foram mobilizadas estruturas da Cúria Romana, conferências episcopais, movimentos pró-vida, pró-família, associações de terapias reparativas da homossexualidade ("cura gay") e grupos de ultradireita. Nesse processo, foi marcante a atuação de grupos religiosos radicais estadunidenses e de movimentos eclesiais, em articulação com a Congregação para a Doutrina da Fé e o Pontifício Conselho para a Família, então presidido pelo cardeal colombiano Alfonso López Trujillo, opusdeísta conhecido por posições reacionárias quanto à sexualidade e à bioética.

Outra figura importante foi Michel Schooyans. No livro *O Evangelho perante a desordem mundial* (1997), esse jesuíta belga dedicou amplo espaço à denúncia de um complô da "ideologia de gênero" por parte dos organismos internacionais – é possível que esta seja a primeira obra a utilizar o sintagma "ideologia de gênero".

Em 1998, a Conferência Episcopal do Peru publicou a nota *A ideologia de gênero: seus perigos e seus alcances*, produzida pelo opusdeísta monsenhor Oscar Alzamora Revoredo, bispo auxiliar de Lima. Era a primeira vez que se empregava o sintagma em um documento eclesiástico, que se tornou uma referência. O documento teve como base um artigo da estadunidense Dale O'Leary, anteriormente escrito para subsidiar a atuação de grupos pró-vida e pró-família nos trabalhos preparatórios da Conferência de Pequim. Também ligada à Opus Dei, essa jornalista e ensaísta católica foi central no processo de

138 | Educação contra a barbárie

construção e disseminação do discurso antigênero. Por anos ela esteve ligada a um poderoso *lobby* católico dedicado à defesa da "cura gay", o Family Research Council e a National Association for Research & Therapy of Homosexuality, mantendo um trânsito intenso junto à Cúria Romana. Seu principal livro, *Agenda de gênero* (1997), é uma das bíblias do movimento antigênero. Grande parte dos argumentos e estratagemas retóricos empregados na ofensiva antigênero estão presentes nessa obra.

Pouco depois, sob a égide do Pontifício Conselho para a Família, a expressão "ideologia de gênero" compareceu pela primeira vez em um documento da Cúria Romana, com a publicação de *Família, matrimônio e "uniões de fato"* (2000) e no mais amplo e incisivo documento vaticano sobre o tema, o *Lexicon: termos ambíguos e discutidos sobre família, vida e questões éticas* (2003), a suma teórica do movimento antigênero. O discurso estava pronto. Tratava-se apenas de aguardar o sinal verde para a eclosão das mobilizações. O sinal veio com os pronunciamentos de Bento XVI à Cúria em 2008 e 2012, considerados os mais incisivos ataques ao feminismo proferidos por um papa. Manifestações oceânicas tomaram a arena política da Europa antes de se espalharem pelo mundo.

Entre naturalizações e inversões

Aquilo que os "defensores da família" chamam pejorativamente de "ideologia de gênero" não encontra correspondência com o que o feminismo e os estudos de gênero fazem e defendem. Por isso, diante da promoção sistemática de desinformação, intimidação, estigmatização do adversário e pânico moral por parte desses cruzados antigênero, muitos podem ser levados a concluir que a "ideologia de gênero" não exista ou sirva apenas como um espantalho. Essa postura, porém, tende a colocar em uma posição defensiva aqueles que são acusados de promover essa "ideologia", que gastam tempo e energia desmentindo acusações e fornecendo respostas para as quais os "defensores da família" já dispõem de tréplicas pré-confeccionadas. Assim, sem expor ou debater suas ideias e propósitos, eles mantêm o ataque alarmista contra o adversário e a defesa de algo supostamente universal e incontestável, como a "família", a "inocência das crianças" etc.

Em vez disso, valeria afirmar: a "ideologia de gênero" existe. Existe, mas não como a descrevem os cruzados antigênero. A "ideologia de gênero" é uma invenção vaticana. Um objeto construído e evidenciado pelo discurso que o denuncia. Um sintagma, um neologismo, um rótulo estigmatizante, um *slogan*, categoria política[2] forjada para operar como arma retórica e para animar mobilizações em favor de um projeto de sociedade regressivo, antidemocrático e antilaico.

Não por acaso, observa-se por parte desses cruzados uma frequente preocupação em ocultar a origem católica do discurso e do movimento antigênero. Para evitar que suas ofensivas sejam percebidas como uma resposta religiosa tradicionalista, procuram conferir a elas uma feição universalista, à altura dos desafios éticos contemporâneos. Daí os seus frequentes apelos à "ciência". Os "defensores da vida, da família e da inocência das crianças" partiriam de bases científicas e técnicas, enquanto os "adeptos do gênero" apenas propagariam uma enganosa e infundada "ideologia". Sem jamais submeter suas teses a escrutínio acadêmico, os "defensores da família" costumam chamar de "ciência" aquilo que cuidadosamente selecionam para tentar confirmar suas formulações e legitimar seus posicionamentos políticos e morais.

Ora, cada ordem social estabelecida empenha-se para que suas assimetrias e arbitrariedades históricas sejam percebidas como ordenamentos naturais, e continuem a ser impostas e perpetuadas como legítimas, necessárias, imutáveis ou inevitáveis. De fato, uma das estratégias ideológicas centrais do discurso antigênero é renaturalizar a ordem social, moral e sexual tradicional e apontar como antinaturais crenças, ideias ou atitudes que contrariem essa ordem, bem como rechaçar a contribuição das ciências sociais para a compreensão dos processos sociais, históricos e culturais de construção da realidade.

Os "defensores da família natural" anseiam em promover a restauração ou, ainda, uma remodelagem conservadora do estatuto da ordem social e sexual tradicional, de modo a reafirmar sua hegemonia, reiterar seus postulados, hierarquias, sistemas de poder e estruturas de privilégios. Nesse sentido, eles também atuam em favor da colonização da esfera pública por interesses privados, familistas e religiosos. Isto é algo que se evidencia quando reivindicam a primazia da família na educação dos filhos, e se desdobra em ataques a currículos, à autonomia docente, às políticas inclusivas, às instâncias de administração e regulação da educação, a escolas e docentes em nome de um "direito a uma escola não ideológica", "sem gênero", "sem doutrinação" ou "sem partido". O lema "Meus filhos, minhas regras", entoado pelo movimento político reacionário Escola sem Partido, reitera o familismo e o privatismo dessa ofensiva e

---

[2]   Ver Sara Garbagnoli, "'L'ideologia del genere': l'irresistibile ascesa di un'invenzione retorica vaticana contro la denaturalizzazione dell'ordine sessuale", *AG About Gender*, Gênova, v. 3, n. 6, 2014, p. 250-63.

140 | Educação contra a barbárie

parodia o mote "Meu corpo, minhas regras", invertendo o lema feminista pela autonomia e pelos direitos individuais das mulheres e preconizando a submissão absoluta das crianças a seus pais[3].

Diferentemente do sintagma retórico inventado pelos "defensores da família", o conceito sociológico de *ideologia de gênero* (sem aspas) pode ser útil para identificar, compreender e criticar a naturalização das relações de gênero, as hierarquizações sexuais, a heterossexualização compulsória, a inculcação das normas de gênero, entre outras coisas. São exemplos de manifestações da ideologia de gênero o machismo, o sexismo, a misoginia, o heterossexismo, a transfobia, assim como a pugna religioso-moralista e antifeminista contrária à adoção da perspectiva de gênero nas políticas públicas. Podemos dizer, portanto, que são eles, os cruzados antigênero, que agem como genuínos promotores da ideologia de gênero. Paradoxalmente, a partir de uma manobra de inversão, esses "defensores da família" atribuem a outrem exatamente aquilo que praticam. O discurso antigênero nomeia como "ideologia de gênero" aquilo que é precisamente a sua crítica.

---

[3] Ver Luís Felipe Miguel, "Da 'doutrinação marxista' à 'ideologia de gênero': Escola sem Partido e as leis da mordaça no parlamento brasileiro", *Direito & Práxis*, Rio de Janeiro, v. 7, n. 3, 2016, p. 590-621; disponível em: <https://www.e-publicacoes.uerj.br/index.php/revistaceaju/article/download/25163/18213>.

Paulo Freire, o educador proibido de educar[1]
Sérgio Haddad

Em 1994, em uma longa entrevista publicada na *Folha de S.Paulo*, Paulo Freire respondeu por que o seu método não conseguiu erradicar o analfabetismo no Brasil:

> Tu sabes que, em tese, o analfabetismo poderia ter sido erradicado com ou sem Paulo Freire. O que faltou, centralmente, foi decisão política. A sociedade brasileira é profundamente autoritária e elitista. Para a classe dominante reconhecer os direitos fundamentais das classes populares não é fácil. Nos anos 60 fui considerado um inimigo de Deus e da pátria, um bandido terrível. Pois bem, hoje eu já não seria mais considerado inimigo de Deus. Você veja o que é a história. Hoje diriam apenas que sou um saudosista das esquerdas. O discurso da classe dominante mudou, mas ela continua não concordando, de jeito nenhum, que as massas populares se tornem lúcidas.

---

[1] Uma versão expandida deste texto foi originalmente publicada como "Por que o Brasil de Olavo e Bolsonaro vê em Paulo Freire um inimigo", *Folha de S.Paulo*, 14 abr. 2019, Ilustríssima; disponível em: <https://www1.folha.uol.com.br/ilustrissima/2019/04/por-que-o-brasil-de-olavo-e-bolsonaro-ve-em-paulo-freire-um-inimigo.shtml>.

Passados 25 anos, Paulo Freire voltaria a ser foco de ataques, com seu nome circulando nas redes sociais e nos discursos políticos, consequência da nova onda conservadora que assola o país.

Acusado de comunista nos anos 1960, Paulo preparava um programa nacional de alfabetização a ser implantado pelo governo de João Goulart, quando foi preso e exilado pelos militares protagonistas do golpe de 1964. O programa nasceria como decorrência da experiência realizada no ano anterior pelo governo do Rio Grande do Norte, na cidade de Angicos, com cerca de quatrocentos jovens e adultos, sob a coordenação e inspiração do educador, e que acabou por ganhar notoriedade nacional e internacional, não só porque o método utilizado realizaria em quarenta horas o processo de alfabetização, mas também porque contribuiria para formar cidadãos mais conscientes dos seus direitos e dispostos a participar democraticamente para defendê-los. O método partia de palavras selecionadas a partir de questões existenciais dos alunos, fazendo com que se alfabetizassem dialogando sobre as suas condições de vida como trabalho, saúde, educação, lazer e outros. Unia, portanto, educação com cultura, ao tomar as experiências do alunado e seus conhecimentos como parte integrante do ato de educar.

Ao ganhar dimensão nacional, os golpistas intuíram que o programa poderia desestabilizar os poderes constituídos, ao colocar, no curto prazo, uma grande quantidade de pessoas em condições de votar (o voto era então vetado aos analfabetos), impactando os currais eleitorais, mas também, e principalmente, levando os setores populares a influírem de maneira mais consciente e crítica em seus destinos. Seria necessário, portanto, banir e deslegitimar o método, e também seu autor.

Em 18 de outubro de 1964, alguns dias depois de Paulo Freire ter partido para o exílio, o tenente-coronel Hélio Ibiapina Lima[2] divulgaria o texto final do inquérito que comandou, acusando Paulo Freire de ser "um dos maiores responsáveis pela subversão imediata dos menos favorecidos. Sua atuação no campo da alfabetização de adultos nada mais é que uma extraordinária tarefa marxista de politização das mesmas". Para Ibiapina Lima, Freire não teria criado método algum, e sua fama viria da propaganda feita pelos agentes do Partido Comunista da União Soviética. "É um cripto-comunista encapuçado sob a forma de alfabetizador", informava o relatório.

---

[2]   Um dos 377 agentes do Estado apontados pelo relatório da Comissão Nacional da Verdade (2014) por violar direitos humanos e cometer crimes durante o regime militar.

Francisco Weffort, na apresentação do livro *Educação como prática da liberdade*, de Paulo Freire, escrito no Chile, em 1965, onde estava exilado, assim analisaria os fatos ocorridos no Brasil:

> Nestes últimos anos, o fantasma do comunismo, que as classes dominantes agitam contra qualquer governo democrático da América Latina, teria alcançado feições reais aos olhos dos reacionários na presença política das classes populares. [...] Todos sabiam da formação católica do seu inspirador e do seu objetivo básico: efetivar uma aspiração nacional apregoada, desde 1920, por todos os grupos políticos, a alfabetização do povo brasileiro e a ampliação democrática da participação popular. [...] Preferiram acusar Paulo Freire por ideias que não professa a atacar esse movimento de democratização cultural, pois percebiam nele o gérmen da derrota.

E acrescentaria: "Se a tomada de consciência abre caminho à expressão das insatisfações sociais é porque estas são componentes reais de uma situação de opressão".

Exilado por quinze anos, tendo passado pela Bolívia, pelo Chile, pelos Estados Unidos e pela Suíça, regressaria em definitivo ao Brasil em 1980, reconhecido internacionalmente como um dos mais importantes educadores do mundo. No seu retorno, começaria a dar aulas na Pontifícia Universidade Católica de São Paulo (PUC) e na Unicamp. Em fins de 1988, seria convidado pela prefeita eleita de São Paulo, Luiza Erundina, para ser seu secretário municipal de educação nas primeiras eleições municipais depois da nova Constituição. Frente às inúmeras pressões que receberia, não completou sua gestão como secretário, passando o cargo para o filósofo Mario Sergio Cortella, seu chefe de gabinete, em 1991. Suas orientações, no entanto, foram mantidas até o final da gestão, e acabariam por influenciar outros municípios e governos estaduais no campo da democratização da gestão e das inovações pedagógicas. A presença do educador, ao assumir um cargo público de um governo de esquerda, voltaria a incomodar parcelas da sociedade que não deixaram de desqualificá-lo durante todo o período em que permaneceu no cargo.

No dia 1º de maio de 1997, Freire, já fragilizado, daria entrada no hospital Albert Einstein em São Paulo para se submeter a uma angioplastia, mas complicações em sua saúde o levariam à morte no amanhecer do dia seguinte.

Paulo Freire seria agraciado em vida e *in memoriam* com 48 títulos de doutor *honoris causa* por diversas universidades no Brasil e no exterior. Instituições de ensino de várias partes do mundo o convidaram para tê-lo no corpo docente. Foi presidente honorário de pelo menos treze organizações

144 | Educação contra a barbárie

internacionais. Muitas outras homenagens, títulos e prêmios lhe seriam concedidos ao longo da vida e depois da sua morte: mais de 350 escolas espalhadas pelo Brasil e exterior receberiam seu nome, assim como diretórios e centros acadêmicos, grêmios estudantis, teatros, auditórios, bibliotecas, centros de pesquisa, cátedras, ruas, avenidas, praças, monumentos e espaços de movimentos sociais e sindicais. Paulo Freire inspiraria estátuas e pinturas em sua homenagem, além de letras de músicas e sambas-enredo de escola de samba. Inúmeros prêmios e condecorações foram criados com seu nome. Em 1995, seria indicado ao Prêmio Nobel da Paz. Em 13 de abril de 2012, Paulo seria declarado Patrono da Educação Brasileira, por iniciativa da então deputada federal Luiza Erundina.

Seus livros se espalharam pelo mundo. *Pedagogia do oprimido* foi traduzido para mais de vinte idiomas. *Pedagogia da autonomia*, sua última obra, foi um dos livros mais vendidos de seu tempo no Brasil, atingindo em 2005, depois de oito anos do lançamento, a marca de 650 mil exemplares vendidos. Seu legado vem se multiplicando em novos textos, vídeos, filmes e entrevistas. Vários centros de documentação e de promoção do seu pensamento podem ser encontrados pelo mundo.

Em junho de 2016, o professor Elliott Green, da London School of Economics, publicou um estudo mostrando que *Pedagogia do oprimido* era a terceira obra mais citada em trabalhos da área de humanas, à frente de pensadores como Michel Foucault e Karl Marx. *Pedagogia do oprimido* é também o único título brasileiro a aparecer na lista dos cem livros mais requisitados nas listas de leituras das universidades de língua inglesa. Em dezembro de 2018, a reconhecida revista *Revue internationale d'éducation de Sèvres* fez um balanço dos principais educadores da humanidade. Lá estava Paulo Freire, acompanhado, entre outros, por Rousseau, Condorcet, Vygotsky, Dewey, Montessori e Grundtvig.

Mesmo com grande reconhecimento internacional, que o coloca como um dos pensadores mais importantes da atualidade, Paulo Freire voltaria a ser atacado e desqualificado a partir da recente presença de setores conservadores na cena pública nacional. Entre as palavras de ordem nas manifestações pelo impeachment de Dilma Rousseff, em 2015, uma chamaria a atenção: "Chega de doutrinação marxista, basta de Paulo Freire!".

Com a vitória de Jair Bolsonaro, em 2018, as críticas ao educador e ao seu pensamento retornariam de forma contundente. Durante a campanha eleitoral, em agosto daquele ano, em uma palestra para empresários no Espírito Santo, o então candidato afirmaria: "A educação brasileira está afundando.

Temos que debater a ideologia de gênero e a escola sem partido. Entrar com um lança-chamas no MEC para expulsar o Paulo Freire lá de dentro". E complementou: "Eles defendem que tem que ter senso crítico. Vai lá no Japão, vai ver se eles estão preocupados com pensamento crítico". Em seu programa de governo para a educação, Bolsonaro defendeu expurgar o educador das escolas, desta vez com forte apoio das redes sociais, empenhadas em desqualificar e banir o pensamento de Paulo Freire.

Criticam a qualidade literária dos seus textos e a sua pedagogia, acusando-a de proselitismo político em favor do comunismo; responsabilizam o educador pela piora na qualidade do ensino, argumentando que quanto mais se lê e se estuda Freire nas universidades, mais a educação no Brasil anda para trás; afirmam que seus escritos estão ultrapassados, e que o lugar de fazer política é nos partidos e não nas escolas. São críticas que não têm base empírica que as comprovem: Paulo Freire nunca foi comunista, é pouco lido nas universidades brasileiras, nunca pregou uma educação partidária nas escolas e a crítica à qualidade literária dos seus livros não se sustenta. São setores atrasados que, desrespeitando a pluralidade de ideias e descompromissados com os ideais democráticos de liberdade de opinião, não reconhecem no educador, tendo lido ou não as suas obras, concordando ou não com o seu pensamento, o interlocutor consagrado e respeitado.

Um dos principais combatentes das ideias de Paulo Freire, o movimento Escola sem Partido, se propõe a coibir a doutrinação ideológica nas escolas. O movimento estabeleceu como estratégia política aprovar leis nos planos nacional, estadual e municipal para vigiar as ações de professores nas escolas, produzindo um clima de perseguição política e de denuncismo. Em nome de uma inexistente neutralidade, sem propostas para os verdadeiros dilemas da educação brasileira, se voltam para desqualificar Paulo Freire. Uma proposta legislativa patrocinada por eles obteve, em apenas um mês, as 20 mil assinaturas necessárias para que o Senado discutisse retirar o título de Patrono da Educação Brasileira de Paulo Freire. Depois de uma intensa batalha, a demanda não foi aprovada.

Paulo acreditava no diálogo como método de apreensão do conhecimento e aumento da consciência cidadã. Defendia que os educandos fossem ouvidos, que exprimissem as suas ideias como exercício democrático e de construção de autonomia, de preparação para a vida. Propunha o diálogo efetivo, crítico, respeitoso, sem que o professor abrisse mão da sua responsabilidade como educador no preparo das aulas e no domínio dos conteúdos. Era contra a educação de uma via só, em que o professor dita aulas e o aluno escuta, o

146 | Educação contra a barbárie

primeiro sabe e o segundo não sabe, um é sujeito e o outro objeto, como detalhou em *Pedagogia do oprimido*. Para ele, todos tinham o que aportar neste processo de diálogo, assim como todos aprendiam em qualquer processo educativo: "Não há docência sem discência", afirmaria.

Paulo foi criticado por setores progressistas por ser idealista, por sua linguagem com ênfase no masculino nos primeiros trabalhos, por ser contra o aborto, por desconsiderar os conteúdos nos processos educativos, pela insuficiência do seu método. Nunca foi unanimidade dos corredores das universidades, e nem esperava por isso. Coerente com o que escrevia e pensava, procurou tratar seus interlocutores e críticos, fossem eles de qualquer espectro político, com igual respeito. Aprendia com os diálogos, debates e polêmicas nos quais se envolvia, refazendo muitas das suas posições. Olhava a educação como um produto da sociedade, portanto reflexo de projetos políticos em disputa, naturais em qualquer sociedade democrática que aposta no debate de ideias para constituição do seu futuro.

Como cristão comprometido com os mais pobres e discriminados, bebeu de diversas teorias para realizar pedagogicamente valores que tinham como fundamento ontológico uma profunda crença na capacidade de o ser humano se educar para ser partícipe na construção de um mundo melhor e de acordo com os seus interesses. Em seu percurso intelectual, não se ateve a uma corrente de pensamento, sendo muitas vezes criticado por isto. Escolhia, dentre as diversas teorias, aquelas que melhor ajudassem a realizar o seu compromisso ético de cristão ao lado dos oprimidos, inclusive o marxismo. Em diálogo com Myles Horton, educador norte-americano, no livro *O caminho se faz caminhando*, reafirmaria essa postura: "Minhas reuniões com Marx nunca me sugeriram que parasse de ter reuniões com Cristo".

Quando perguntado, Paulo não recusaria a responder de forma crítica também sobre os abusos do regime comunista. Na mesma entrevista citada no início deste texto, afirmou que o fim do comunismo no Leste Europeu havia representado uma queda necessária não do socialismo, mas da sua "moldura autoritária, reacionária, discricionária, stalinista, dentro da qual se pôs o socialismo". Ao mesmo tempo, ele se perguntava sobre a qualidade do capitalismo no Brasil: "Que excelência é esta que produz 33 milhões de famintos?".

Paulo deixaria um texto inacabado, interrompido pela sua morte, posteriormente publicado por Nita, sua segunda esposa, em *Pedagogia da indignação*. Nele, daria voz à sua indignação com o assassinato do índio pataxó Galdino Jesus dos Santos, ocorrida dias antes em Brasília, queimado vivo por cinco adolescentes na mesma data em que se celebrava o Dia do Índio – 19 de abril de 1997: "Tocaram fogo no corpo do índio como quem queima uma nulidade. Um trapo imprestável". Refletindo sobre quem seriam esses meninos, como seriam as suas famílias, onde morariam, quais escolas frequentariam, em que ambiente viviam, que exemplos, testemunhos e ética os levariam a esta "estranha brincadeira" de matar gente: "Qual a posição do pobre, do mendigo, do negro, da mulher, do camponês, do operário, do índio neste pensar?".

Diante do ocorrido, proclamaria pelo dever de qualquer pessoa que educa, de lutar pelos princípios éticos mais fundamentais: "Se estamos a favor da vida e não da morte, da equidade e não da injustiça, do direito e não do arbítrio, da convivência com o diferente e não de sua negação, não temos outro caminho senão viver plenamente a nossa opção", ajudando as novas gerações a serem sérias, justas e amorosas da vida e dos outros. Concluiria afirmando que "Se a educação sozinha não transforma a sociedade, sem ela tampouco a sociedade muda".

Celso Beisiegel, ao analisar o percurso intelectual do educador nos seus primeiros anos de exílio, ainda no Chile, afirmaria que o seu compromisso com os oprimidos estaria levando a um estreitamento das possibilidades de utilização das suas práticas pedagógicas, ainda que parciais – referia-se ao tempo dos governos autoritários que viriam a se instalar na América Latina nos anos 1960 e 1970. Celso questionava se o educador não estaria se aproximando da realização daquela imagem do "ser proibido de ser", concluindo: "[...] não seria inaceitável dizer que Paulo Freire veio se aproximando da realização da figura do *educador proibido de educar*"[3]. Não estamos muito distantes do que vem ocorrendo no Brasil de hoje.

---

[3] Ver Celso de Rui Beisiegel, *Política e educação popular* (São Paulo, Ática, 1982), um dos mais importantes trabalhos sobre o pensamento de Paulo Freire.

PARTE III

EDUCAÇÃO

CONTRA A

BARBÁRIE

Escola e afetos: um elogio da raiva e da revolta

Rodrigo Ratier

"Precisamos sentir mais raiva" foi o título que propus à minha coluna mensal, na revista *Nova Escola*, em agosto de 2017[1]. Comecei reconhecendo que "acessos de raiva podem nos levar a fazer coisas estúpidas", implodindo projetos e relações há longo tempo cultivados. Mas prossegui para uma defesa desse sentimento. Procurei mostrar como nem sempre ele precisa ser associado a uma emoção negativa. Em certos casos, a revolta é absolutamente necessária. Citei Aristóteles, que na *Ética a Nicômaco* elogia quem "se encoleriza justificadamente com coisas ou pessoas". Sustentei que a resposta a uma injustiça, mesmo que fora do tom supostamente civilizado, era preferível à submissão. E finalizei: "Às vezes, é preciso dizer com firmeza 'Isso eu não aceito', 'Você me desrespeitou', 'Não está certo'. Saia a frase do jeito que sair".

A revista foi publicada. Semanas depois, recebi um recado de meus superiores. A devolutiva era de que a coluna estava inadequada. As críticas

---

[1] Rodrigo Ratier, "Precisamos sentir mais raiva", *Nova Escola*, n. 304, 11 ago. 2017; disponível em: <https://novaescola.org.br/conteudo/8993/precisamos-sentir-mais-raiva>.

152 | Educação contra a barbárie

pontuavam que o texto exalava uma violência contrastante com a linha editorial de *Nova Escola*. Sobretudo numa edição cuja reportagem de capa, também de minha autoria, era "Como vencer o ódio". Soube que havia gente preocupada comigo e com a minha agressividade. Ouvi suposições de que ela poderia ter raízes na vivência do luto pela morte de meu pai, ocorrida cinco meses antes.

A essas pessoas, argumentei que não me parecia uma expressão de problemas pessoais, ao menos não conscientemente. Mas que eu ficaria atento à eventual rispidez. Defendi a abordagem dos textos, afirmando se tratar de uma questão conceitual. Não havia e não há oposição entre uma coluna que trata de raiva e uma reportagem que fala sobre diálogo. Procurei discutir o que, a meu ver, são dois mitos: o do diálogo como varinha mágica para a concórdia e o da raiva como um sentimento que deve, necessariamente, ser sufocado em vez de problematizado.

Inicio este capítulo com um *case* do ambiente corporativo para exemplificar como a dificuldade para lidar com afetos e emoções não está concentrada apenas na escola. O embaraço está por toda parte, da família à igreja, da mídia ao trabalho. O foco excessivo na dimensão racional, típica das sociedades ocidentais, varreu para detrás das cortinas a atuação dos sentimentos. No entanto, eles teimam a entrar em cena. Depressão, ansiedade, estresse, atos falhos, explosões de ira, crises de choro. A psicologia oferece provas abundantes do eterno retorno desses atores indesejados ao teatro da vida.

No campo da educação, ensaia-se a volta por cima dos sentimentos. Os afetos ressurgem, por assim dizer, repaginados. Atendem, agora, pelo nome de "competências socioemocionais". Segundo a Base Nacional Comum Curricular (BNCC), trata-se de um conjunto de habilidades que, mobilizadas, auxiliam na resolução de "demandas complexas da vida cotidiana, do pleno exercício da cidadania e do mundo do trabalho".

Empatia, respeito, responsabilidade, flexibilidade, resiliência, determinação, autocuidado. Há menções ao que seriam competências socioemocionais em ao menos seis das dez competências gerais propostas pela BNCC, o que evidencia a centralidade do tema. Alunos devem "agir pessoal e coletivamente com autonomia" (competência 10); "fazer escolhas alinhadas ao exercício da cidadania e ao seu projeto de vida" (competência 6); "conhecer-se, apreciar-se e cuidar de sua saúde física e emocional, compreendendo-se na diversidade humana e reconhecendo suas emoções e a dos outros, com autocrítica e capacidade para lidar com elas" (competência 8). E assim por diante.

Numa mirada de relance, os holofotes sobre o papel das emoções na educação parecem bem-vindos. Há farta pesquisa atestando o vínculo entre sentimentos e aprendizagem. E a escola é lugar de intensa convivência afetiva. As interações despertam nas crianças e nos jovens (e nos adultos que deles se ocupam) sentimentos tão díspares e intensos quanto a alegria, a tristeza, a inveja, o orgulho. Todos com repercussões em questões essenciais como desempenho escolar, evasão e abandono, violência, *bullying* e indisciplina.

Mas falar de afetos e emoções na educação não significa, necessariamente, falar de competências socioemocionais. Buscando a gênese dessa proposta, um grupo de pesquisadoras da Faculdade de Educação da Unicamp aponta um suposto consenso de que a maneira mais eficaz de observar a personalidade humana seria pela aferição de cinco dimensões, conhecidas como *Big Five*: abertura a novas experiências, extroversão, amabilidade, conscienciosidade e estabilidade emocional[2]. É justamente esse pentágono afetivo que serviria de base para competências socioemocionais como as listadas pela BNCC.

Tudo certo, só que não. Como mostram as autoras, o tal "consenso" é falso. A noção de *Big Five* colocaria em polos opostos os aspectos comportamentais e os cognitivos, o que só faria sentido se considerássemos que as competências escolares se reduzem ao domínio técnico. Numerosa bibliografia sustenta o inverso, a ideia de que compreensão e expressão andam em par e que dicotomias do tipo razão/sensibilidade, cognição/emoção e corpo/mente precisam ser superadas.

Também é alvo de críticas o conceito de personalidade como um feixe de disposições estáveis e imutáveis. A influência da cultura e da sociedade, na forma da experiência de determinadas situações sociais que se alteram no tempo – enfim, a perspectiva histórico-cultural do amadurecimento orgânico – é destacada por referências como Henri Wallon e Lev Vygotsky. Contexto, conteúdo e significado das situações vivenciadas conferem um complexo dinamismo à personalidade, conforme ilustram as autoras com este elucidativo exemplo:

---

[2] Ana Luiza Bustamante Smolka, Adriana Lia Friszman de Laplane, Lavinia Lopes Salomão Magiolino e Débora Dainez, "O problema da avaliação das habilidades socioemocionais como política pública: explicitando controvérsias e argumentos", *Educação & Sociedade*, Campinas, SP, v. 36, n. 130, 2015, p. 219-42; disponível em: <http://www.scielo.br/pdf/es/v36n130/0101-7330-es-36-130-00219.pdf>.

154 | Educação contra a barbárie

Crianças podem ser muito persistentes em certas situações e pouco persistentes em outras. Alguns sujeitos serão extremamente atentos e interessados em certas atividades e não em outras. Algumas atividades serão capazes de despertar a criatividade em alunos de diferentes idades, em diferentes contextos. Jovens podem ser muito perseverantes em relação a certos objetivos e pouco perseverantes quando esses objetivos não são genuinamente apropriados por eles. O mesmo se aplica à criatividade, curiosidade, disciplina e outros atributos, e se torna especialmente relevante quando se pensa na escola, com suas demandas e regras de participação, muitas vezes distantes dos valores que regem as comunidades de origem dos alunos.[3]

Como uma proposta controversa foi elevada ao status de consenso e assumiu protagonismo na BNCC é assunto mais da política que da ciência ou da educação. O que restou de fato é um "cumpra-se": o prazo para a implantação da BNCC já está correndo, sendo 2020 a data limite para que ela se faça sentir em sala de aula.

Por mais que se insista que "Base não é currículo" (estes estão sob responsabilidade das redes e escolas) e que a BNCC precisa ser articulada com as Diretrizes Nacionais Curriculares para a Formação de Professores, sua publicação apresenta, para um futuro imediato, um enorme desafio para educadoras e educadores. Como trabalhar as tais habilidades socioemocionais se o tema não faz parte da formação inicial e, até recentemente, da capacitação em serviço?

Dois caminhos se apresentam. O primeiro, uma pinguela precária, é o da atuação intuitiva. Professoras e professores trabalham o tema sem referencial específico, ancorados num saber baseado nas experiências imediatas. Um artigo de Luciene Tognetta exemplifica como o juízo professoral tende a compreender os aspectos afetivos[4]. Numa pesquisa de 2011, conduzida pelo Grupo de Estudos de Educação Moral (Gepem) da Unicamp/Unesp, educadores e educadoras responderam a um questionário sobre afetividade no cotidiano escolar. Entre as conclusões, a nada surpreendente revelação de que a maioria considerou mais importante "premiar o comportamento de um aluno" do que "demonstrar indignação por alguma situação de injustiça".

---

[3] Ibidem, p. 233-4.

[4] Luciene Tognetta, "Estamos preparados para incorporar as competências socioemocionais da BNCC?", *Nova Escola*, 16 ago. 2018; disponível em: <https://novaescola.org.br/conteudo/12358/estamos-preparados-para-incorporar-as-competencias-socioemocionais-da-bncc>.

A afetividade, assim, é entendida como sinônimo de carinho e elogio a quem "fizer por merecer". O aluno modelo é ordenado e dócil. A heteronomia e o respeito às normas por medo da punição passam a ser princípios reguladores das relações escolares. Prêmios aos que obedecem, castigos aos que transgridem.

Não é outro o *modus operandi* dos colégios militares defendidos pela atual gestão regressiva do MEC como exemplos de qualidade na educação. Como faltam evidências para sustentar tal crença, seu único referencial só pode ser o senso comum e o entendimento de que o controle das emoções é resultado da obediência ao comando que vem de outras pessoas.

O segundo caminho para o trabalho com aspectos afetivos é o da privatização da oferta de soluções pedagógicas. Se abordar habilidades socioemocionais é obrigatório, mas não sabemos como fazê-lo e o Estado não nos diz como, que tal adquirirmos algo pronto e darmos a questão por encerrada? Abre-se, assim, uma convidativa autoestrada para a tecnocracia domesticadora, que mercantiliza o reforço à autocontenção como uma panaceia para todos os males da escola.

A divulgação da BNCC potencializou a demanda por "soluções" desse tipo, concebidas e comercializadas por grandes conglomerados. Nos programas ditos "estruturados", a escola adquire um conjunto de produtos (livros, videoaulas, consultorias) que prometem trabalhar todo o conteúdo socioemocional da BNCC. Na rede particular, o custo das apostilas é repassado aos pais. Nas escolas públicas, geralmente absorvido pelas secretarias municipais e estaduais, em compras realizadas fora do âmbito do Programa Nacional do Livro Didático (PNLD).

Com referenciais frágeis, a abordagem dos aspectos afetivos tende a reforçar ora o paradigma da eficiência e da produtividade, ora o enquadramento disciplinar. O Líder em Mim, programa oferecido pela Somos Educação, adquirida em 2018 pela gigante Kroton Educacional, é um exemplo do primeiro caso. Promete "promover a mudança comportamental em educadores, crianças e adolescentes" por meio da adaptação para a educação básica do livro *Os 7 hábitos das pessoas altamente eficazes*, best-seller do binômio administração/autoajuda do consultor norte-americano Stephen Covey. Já a Escola da Inteligência é um exemplo da segunda derivação. Garantindo "melhoria dos índices de aprendizagem, redução da indisciplina, aprimoramento das relações interpessoais e o aumento da participação da família na formação integral dos alunos", é baseada nos escritos de Augusto Cury – "teorias" do "Dr. Augusto Cury", conforme o site do programa –, ficcionista e autor de autoajuda mais lido da última década no Brasil.

A conceituação caricatural sobre afetividade se esquiva das emoções consideradas "difíceis". Quando o faz, incorre no risco da estigmatização dos comportamentos desviantes. Volto à raiva do início do texto. Na BNCC, essa palavra – e mais "indignação" e "cólera" – não aparece sequer uma vez nas seiscentas páginas do documento. Não é à toa, uma vez que a concepção de competências socioemocionais trabalha para a sua supressão. Smolka cita o parentesco da proposta com a chamada "alfabetização emocional" preconizada por Daniel Goleman. Para o jornalista e psicólogo norte-americano, crianças agressivas e difíceis de lidar precisam ter a agressividade domada, evitando que percorram o caminho "da violência e da criminalidade".

Em *Pedagogia do oprimido*, Paulo Freire conceitua a rebeldia como um momento de despertar. Quando os oprimidos tomam consciência de sua opressão e deixam de aceitá-la com fatalismo ("é a vontade de Deus") e autodesvalia (o sentimento de que são incapazes), explode a raiva e a rebelião. O que fazer com a revolta inexplicável e sem objetivo definido, muitas vezes horizontal, contra os próprios companheiros ou o equipamento público que os serve?

A escola transformadora não suprime a rebeldia e nem a condena de antemão. Ao contrário, busca desvelar suas causas, canalizando o rancor destrutivo para o questionamento das injustiças e propondo ações para sua transformação. A raiva e a rebelião são entendidas como parte do processo para a formação de indivíduos autônomos, capazes de crítica e reflexão.

Ao propor o desenvolvimento de um sujeito afetivamente inatacável, sem considerar as etapas que levam a ele e sem propor caminhos para a sua (auto) construção, a BNCC presta um desserviço a alunos e educadores, responsabilizando-os previamente pelos maus resultados que surgirão. Como exigir de um estudante negro e da periferia que faça escolhas "livres e com autonomia" para seu "projeto de vida" numa comunidade miserável e embrutecida pela violência? De que maneira sugerir "resiliência" à estudante que enfrenta o assédio no transporte público a caminho de uma escola sem infraestrutura e sem professor? Como cobrar que educadores e educadoras "promovamos direitos humanos" quando seu direito constitucional à greve é duramente reprimido pelas forças do Estado?

Vivemos num mundo injusto e num país abissalmente desigual. É compreensível e indispensável que alunos e professores sintam raiva, que se indignem. Que a escola esteja a serviço da transformação da indignação em ação, trabalhando a raiva e a revolta como insumo básico nas discussões dos aspectos afetivos no ambiente escolar. Por muitos anos como editor de *Nova*

Escola, colei acima da tela do computador uma frase atribuída ao filósofo iluminista Condorcet: "A verdadeira educação faz cidadãos indóceis e difíceis de governar". Deixei o emprego e o computador. Sigo levando comigo essa máxima.

Educação popular e participação social: desafios e propostas para hoje

Pedro de Carvalho Pontual

Em dezembro de 2017, em entrevista ao grande jornalista e amigo Luis Nassif, me deparei com uma provocação que depois se revelou profética: se vivêssemos um terremoto que destruísse muitas das políticas que vinham sendo implementadas nos anos recentes, como reconstruí-las com participação social? A reconstrução passa necessariamente pela reinvenção das formas de participação social, principalmente a partir do âmbito local e com ênfase no trabalho de educação popular.

Desde 2016, e sob forte tormenta em decorrência do golpe e do impeachment da presidenta Dilma Rousseff, reeleita em 2014, o país vem sofrendo um desmonte das políticas de transferência de renda, de inclusão e de participação social que vinham sendo implementadas desde 2003, com a eleição do presidente Luiz Inácio Lula da Silva. Para além de um balanço e análise crítica desse período de governos progressistas que explicitem os alcances e limitações das transformações anunciadas e de sua implementação, gostaria de destacar que durante esses anos foram implantadas políticas que mudaram para melhor a vida da maioria da população brasileira. Entretanto, não se disputou a

160 | Educação contra a barbárie

hegemonia política e ideológica dos valores e do sentido geral de um projeto democrático e popular. Fez falta uma ousadia maior nas ações de participação social e de educação para a cidadania ativa, e hoje a sociedade brasileira sofre as consequências.

Diversos analistas já apontavam sinais de tormenta nas manifestações de 2013, que não foram corretamente lidos e respondidos pelos setores progressistas. Os resultados das eleições municipais de 2016, a eleição para o governo federal em 2018 e as práticas do governo golpista que antecedeu Bolsonaro avançam na desconstrução de direitos conquistados pelo povo brasileiro desde a Constituição de 1988, na destruição da soberania nacional e no desprezo à democracia. Essas análises constituem insumos para melhor orientar a ação político-pedagógica daqui adiante. O momento atual é de resistência à perda de direitos, às graves violações dos direitos humanos em curso e às práticas que buscam destruir o que se avançou em termos de cultura democrática depois do longo período da ditadura militar. O momento também é de muitas incertezas, frente à recuperação da hegemonia neoliberal e da onda conservadora como um traço da conjuntura mundial.

O quadro de resistência não pode ser confundido com resignação ou passividade. Ao contrário, precisa ser elaborado com as pedagogias da indignação, do compromisso, da esperança e da construção de sonhos possíveis, para utilizar categorias e concepções de Paulo Freire. Segundo o educador, a sabedoria que advém das práticas é nossa melhor conselheira, o que não significa desmerecer os necessários esforços de reinvenção de paradigmas capazes de dar conta da complexidade do mundo em que vivemos e dos enormes desafios para transformá-lo.

Consenso: é preciso fazer trabalho de base com educação popular. Mas onde e como?

Diante da perplexidade do resultado das eleições presidenciais de 2018 e do clima de intolerância e ódio disseminados por muitos dos atores sociais que elegeram Bolsonaro, boa parte do campo progressista da sociedade civil: movimentos sociais, ONGs, redes, pastorais sociais, intelectuais orgânicos das universidades, coletivos e movimentos independentes, entre outros, vêm buscando novas formas e linguagens para retomar a prática do diálogo com as bases da sociedade, sobretudo com os setores populares mais excluídos e discriminados.

Nesse contexto, a educação popular adquire um papel central nas lutas de resistência. A educação popular, entendida como uma concepção política, pedagógica e ética das práticas educativas, tem a missão de contribuir para a construção de uma cidadania ativa e transformadora a partir do exercício da democracia participativa, objetivando um modelo de desenvolvimento integral promotor da justiça social, da inclusão social com equidade de gênero e étnico-racial, da sustentabilidade e da superação de todas as formas de violência e discriminação.

Fundada na dialogicidade da ação educativa e comunicativa, como nos ensina Paulo Freire, a educação popular propõe uma metodologia transformadora que é válida não apenas para a escola, mas para outros espaços, institucionalizados ou não, que atuam na perspectiva de transformação da sociedade. Nossa principal tarefa neste momento é desenvolver práticas de escuta sensível dos setores da sociedade, com os quais buscamos dialogar para identificar os "temas geradores", pontos de partida das práticas educativas apoiados no cotidiano vivido pelos setores populares. É a pesquisa destes temas geradores que nos possibilitará uma reconexão com o que se passa de fato na vida das pessoas e nos dará pistas de como realizar o trabalho de base.

A simbologia e a metodologia de construção de saberes desenvolvidas nos círculos de cultura são um caminho fecundo para as modalidades diversas e interculturais que devem configurar as novas formas de trabalho de base. Deve-se prestar especial atenção às práticas de adolescentes e jovens nas periferias e dos movimentos de mulheres no campo e na cidade.

O território como ponto de partida

É cada vez mais necessário um novo olhar sobre o território como base para a organização da sociedade civil e também para maior efetividade das políticas públicas. No entanto, há que se problematizar alguns conceitos que estão na base das narrativas de distintos atores sociais. A noção de território de exclusão, ou de vulnerabilidade, pode induzir a práticas de cunho assistencialista, que concebem as populações como sujeitos passivos. Já a noção de território desprovido de direitos nos ajuda a entender que as ações a serem desenvolvidas devem ser orientadas pela afirmação de direitos, ações em que os sujeitos são vistos em uma condição ativa e cujas práticas sejam desencadeantes de autonomia e emancipação.

Para a superação das condições dos territórios desprovidos de direitos, é importante que os movimentos sociais e organizações/coletivos busquem alianças nos territórios e nas cidades com outros atores sociais dispostos a lutar, constituindo redes de resistência e por direitos.

162 | Educação contra a barbárie

Também é importante que avancemos na compreensão dos territórios como espaços de construção social e de identidades, espaços de articulação dos atores da sociedade civil para uma ação integrada das políticas públicas, bem como para a participação e controle dos cidadãos sobre essas políticas. A presença da educação popular nos territórios pode contribuir não só para as práticas de diagnósticos participativos, mas também para o aprimoramento das formas de diálogo, mediação e resolução pacífica e democrática de conflitos. Nessa seara, o instrumental e a concepção das práticas de Justiça Restaurativa têm se mostrado bastante potentes e efetivos na resolução de conflitos e de suas violências decorrentes.

As novas tecnologias também abrem um vasto conjunto de possibilidades para um melhor conhecimento dos territórios e dos diversos atores que compõem seus tecidos sociais, contribuindo para a identificação de desigualdades e discriminações presentes na sociedade como um todo e ali representadas. Tais apoios, apesar disso, não substituem a necessária criação de esferas públicas transparentes e democráticas de diálogo e de resolução de conflitos.

Destaca-se ainda o papel que a escola deve voltar a ter nos territórios, como espaço de acolhimento e de referência para os diversos atores sociais, particularmente para crianças, adolescentes, jovens, mães e pais. Para isso, o fortalecimento e a qualificação dos espaços de gestão democrática da escola com a comunidade tornam-se condições indispensáveis. A construção coletiva de uma educação integral se realizará com a articulação com outros atores nos territórios[1], e na medida em que compreendam e exercitem sua função pedagógica na formação das redes de direitos e na construção de territórios educativos e cidades educadoras.

É sempre bom lembrar o vigor (e ineditismo) das experiências brasileiras de orçamento e planejamento participativo no plano municipal como práticas de mobilização dos(as) cidadãos(ãs) na definição das prioridades das políticas públicas. A luta por essas políticas no território pode ser um importante fator mobilizador e articulador das lutas de resistência.

Cultura como educação e como elo de articulação das resistências

Hoje, como em outros momentos históricos, a cultura, e suas diversas formas de expressão artística, têm se constituído como um importante

---

[1] Unidades de saúde, Centros de Referência de Assistência Social (Cras), centros e coletivos de cultura, associações comunitárias, conselhos, fóruns etc.

instrumento de educação popular e de participação social. A cultura expressa os sentimentos, possibilita tocar o coração das pessoas, a vocalização de suas demandas, a livre expressão de suas subjetividades e a afirmação de suas identidades (de classe, territoriais, étnico-raciais, de gênero e de orientação sexual), e contribui para o processo de formação de subjetividades, da consciência crítica e de ações transformadoras da realidade. Trata-se da cultura concebida como direito humano e de cidadania, como forma de expressão de resistência e liberdade, como lugar de transformação social capaz de gerar novas práticas e significações do mundo. Ações e expressões culturais e práticas de educação popular estão imbricadas no processo de formação crítica e de construção de autonomia, constituindo elementos de potência, eixos de articulação de práticas de resistência e de ações emancipadoras de indivíduos e sujeitos coletivos.

Participação social com educação política das classes populares

Vivemos um novo momento histórico no Brasil e no conjunto da América Latina, e temos entre os desafios centrais a necessidade de priorizar a construção de novas estratégias de educação política das classes populares. É preciso construir uma contra-hegemonia popular que fortaleça subjetividades críticas e a participação dessas classes nos processos de transformação social. A partir do referencial da educação popular, é preciso recriar metodologias que potencializem o trabalho de base dos diferentes sujeitos coletivos e movimentos sociais em seus territórios. A cultura, em suas diversas linguagens e expressões artísticas, destaca-se como um importante vetor desse processo.

Os conselhos de gestão das políticas, bem como as práticas de conferências de políticas públicas, foram importantes conquistas para a participação e o controle social desse tipo de política no Brasil. Cabe lutar por representatividade, efetividade e pelo aperfeiçoamento dos mecanismos de gestão democrática. Nestes casos também a intensificação de processos de formação dos atores sociais da sociedade civil e da gestão pública é condição indispensável para uma melhor qualificação dos espaços de deliberação de políticas públicas. A regulamentação e utilização de plebiscitos e referendos, previstos na Constituição como forma de consulta direta sobre temas estratégicos para os municípios e regiões metropolitanas, também pode cumprir tal objetivo.

A incorporação de mecanismos de participação digital é também uma importante forma de ampliação da participação social. Em tempos de resistência e desmonte das políticas sociais, retoma centralidade a mobilização nas ruas para a defesa de direitos, mas não é possível prescindir das redes sociais

164 | Educação contra a barbárie

digitais, espaço fundamental de disputa política e de mobilização social. Parte da direita busca utilizar tais espaços para a manipulação da consciência das pessoas acerca da realidade social, para disseminar a restauração de valores conservadores, preconceitos e ódio. Um dos grandes desafios de hoje para os setores progressistas é ocupar e reinventar tais espaços por meio de práticas educativas que contribuam para a formação de uma consciência crítica da realidade social, para a restauração da democracia e de valores solidários e emancipatórios.

Em momentos de profunda crise é fundamental buscar "sinais de esperança" naquelas experiências que trazem o novo no exercício das práticas de participação, de diálogo social e de constituição de novos sujeitos coletivos. Paulo Freire já disse que é preciso manter a esperança na dimensão ativa do verbo esperançar. É possível atravessar tormentas e superar terremotos na política deixando o pessimismo para dias melhores e colocando toda a nossa energia na construção de caminhos que nos aproximem de nossas utopias possíveis de transformação social e de emancipação humana.

Recursos educacionais abertos: conhecimento como bem comum, autoria docente e outras perspectivas
Bianca Santana

[...] a educação libertadora, problematizadora, já não pode ser o ato de depositar, ou de narrar, ou de transferir, ou de transmitir "conhecimentos" e valores aos educandos, meros pacientes [...], a educação problematizadora coloca, desde logo, a exigência da superação da contradição educador-educandos. Sem esta, não é possível a relação dialógica, indispensável à cognoscibilidade dos sujeitos cognoscentes, em torno do mesmo objeto cognoscível.

Paulo Freire[1]

---

[1] Paulo Freire, *Pedagogia do oprimido* (São Paulo, Paz e Terra, 2013 [1968]).

166 | Educação contra a barbárie

> A busca de outros modos de subjetivação que rompam os paradigmas instituídos pelo dispositivo de racialidade situa-se como demanda para educação e para a produção de conhecimento. Aí se evidencia, ainda, a disputa da verdade histórica como um campo de batalha fundamental para alterar os pressupostos da dominação racial e viabilizar outra subjetivação.
>
> Sueli Carneiro[2]

Não é novidade a luta do movimento negro para que materiais didáticos deixem de reproduzir estereótipos racistas, valorizem a história e a cultura africanas e afro-brasileiras e contemplem a diversidade do país. A Lei n. 10.639/2003, que prevê o ensino de história e cultura afro-brasileira em todas as escolas, é uma conquista que precisa ser efetivada. Por mais que tenha havido avanço nas últimas décadas, os livros didáticos e apostilas distribuídos nas escolas públicas brasileiras são produzidos por grandes editoras, que têm o lucro como principal objetivo.

Autoras, autores e editores brancos, do sudeste, em sua maioria, não possuem repertório para dar conta da diversidade do país. É necessário descentralizar a produção de conteúdos educacionais, direcionando recursos para que professoras e professores, que pisam o chão da sala de aula, possam adequar os materiais às necessidades específicas de sua comunidade. Para isso devem ter orientação das universidades públicas. Ao produzirem o material, mergulham em um intenso processo de formação continuada. Em vez de enriquecer o monopólio do mercado editorial, o dinheiro da educação remunera profissionais e paga a formação em serviço de professoras e professores, ao escreverem livros didáticos de maior qualidade.

Nos dois últimos mandatos de Roberto Requião no governo do Paraná, entre 2003 e 2010, essa foi uma das políticas de formação de professores da rede estadual. O Projeto Folhas selecionava professoras e professores de todas as disciplinas do ensino médio para receberem orientação de docentes de universidades públicas para pesquisar e produzir *papers* (folhas) de conteúdos que trabalhavam em sala de aula. Para isso eram remunerados e recebiam pontos para a evolução na carreira. Os textos eram avaliados pelos pares da mesma

---

[2] Sueli Carneiro, *A construção do outro como não-ser como fundamento do ser* (Tese de Doutorado em Educação, Universidade de São Paulo, 2005), p. 301.

escola, depois eram revisados por técnicas e técnicos dos núcleos regionais de educação, e editados pela equipe da secretaria, para então serem publicados. Além da qualificação profissional de qualidade, o material produzido pelos professores era tão bom que inspirou outro projeto: o Livro Didático Público.

A partir das folhas produzidas pelo professorado, a Secretaria Estadual de Educação publicou livros didáticos para todas as disciplinas dos três anos de ensino médio. O custo de impressão era muito menor do que a compra de qualquer material didático. E os originais foram disponibilizados na internet para serem utilizados por quaisquer pessoas, tanto aqueles que não estivessem matriculadas na escola pública e quisessem estudar sozinhas quanto professores e estudantes da rede particular. Escolas privadas do estado também adotaram o material, arcando com os custos da impressão dos livros, já que o conteúdo estava disponível em uma licença flexível de direito autoral, que permitia cópia e reprodução desde que os livros não fossem comercializados.

Mary Lane Hutner, professora de educação física, diretora escolar e responsável pelo Departamento de Educação Básica da Secretaria de Educação no governo Requião, que idealizou e geriu os projetos, não conhecia o termo recursos educacionais abertos (REA) até pelo menos 2009. Em uma entrevista publicada em 2012, Mary Lane explicou:

> O objetivo principal era desenvolver um processo diferenciado de formação, entendendo o professor como produtor de conhecimento, em vez de apenas formatar cursos em que especialistas dariam sua contribuição [...].
>
> [...]
>
> Na época a gente não tinha a mínima ideia de que isso se tratava de REA. Partíamos do princípio de que a coisa construída na esfera pública deve ficar disponível para todos, principalmente quando se pensa em educação. Aquilo que é produzido na esfera pública tem que ficar disponível a todos que tenham interesse[3]. O papel do professor passa, hoje, por uma grande desvalorização na sociedade brasileira. Nosso objetivo era lembrá-los de que eles podem produzir, conseguem escrever, pois são formados para isso. Para garantir o sucesso do projeto, nós associamos a produção acadêmica à pontuação da carreira do docente. A princípio, na carreira do magistério no Paraná, o professor precisava participar de cursos para acumular pontos e avançar na carreira. A produção

---

[3] Mary Lane Hutner, "Projeto Folhas e o livro didático público (entrevista a Paulo Darcie)", em Bianca Santana, Carolina Rossini e Nelson De Luca Pretto (org.), *Recursos educacionais abertos*: práticas colaborativas e políticas públicas (São Paulo / Salvador: Casa da Cultura Digital / Ed. UFBA, 2012), p. 235-8.

168 | Educação contra a barbárie

de folhas passou também a conferir uma pontuação significativa para a evolução na carreira. O segundo objetivo era produzir material a partir das diretrizes curriculares estaduais, que estávamos concluindo naquela época. Era uma soma: os professores poderiam e precisavam estudar um pouco dos conteúdos ligados às diretrizes para produzir. A gente fazia com que as diretrizes acontecessem na prática, e que fossem realmente úteis.

À época do projeto, o ensino médio da rede estadual do Paraná foi destacado como um dos melhores do país, segundo o Índice de Desenvolvimento da Educação Básica (Ideb). É evidente que o resultado não se deve apenas a esses projetos, mas a uma série de políticas de valorização de professores e investimento na educação pública. O que prova que com vontade política é possível concretizar o cenário desenhado nos primeiros parágrafos deste texto.

O fórum da Unesco sobre softwares didáticos abertos, em 2002, definiu como recursos educacionais abertos os

> materiais de ensino, aprendizagem e investigação em quaisquer suportes, digitais ou outros, que se situem no domínio público ou que tenham sido divulgados sob licença aberta que permite acesso, uso, adaptação e redistribuição gratuitos por terceiros, mediante nenhuma restrição ou poucas restrições. O licenciamento aberto é construído no âmbito da estrutura existente dos direitos de propriedade intelectual, tais como se encontram definidos por convenções internacionais pertinentes, e respeita a autoria da obra.[4]

Por um lado, a noção de REA foi forjada por organismos internacionais ligados à ONU e a fundações internacionais privadas como a William and Flora Hewlett Foundation, que se aliam a políticas neoliberais. Por outro, os projetos e políticas de REA se contrapõem à ideia de educação como mercadoria, partindo da premissa que o conhecimento é um bem comum e, portanto, não pode ser propriedade privada nem estatal, mas um recurso imaterial compartilhado em comunidade, segundo regras criadas pela própria comunidade. Enquanto as políticas neoliberais acríticas defendem restringir a autonomia docente, centralizar projetos pedagógicos e produzir conteúdos hegemônicos em nome de uma possível eficiência e redução de custos, os recursos educacionais abertos têm a diferença como um valor a ser enaltecido e apostam na autonomia de professores e estudantes para definirem conteúdos e abordagens a serem utilizados em sala de aula. Para esta autonomia, é necessário remuneração e formação docente, que demandam investimento.

---

[4] Disponível em: <www.unesco.org/new/fileadmin/MULTIMEDIA/HQ/CI/WPFD2009/ Portuguese_Declaration.html>.

Em 2010, eu era ativista dos recursos educacionais abertos e estive em Brasília na 1ª Conferência Nacional de Educação (Conae) para defender a inclusão dos REA no Plano Nacional de Educação (PNE). Na oportunidade, enquanto explicava a noção para um grupo de professoras, uma educadora paraense me interrompeu:

> O livro didático de geografia que eu recebo tem dez páginas falando da presença de japoneses na cidade de São Paulo. E cinco linhas sobre o estado do Pará inteiro. Você já viu o tamanho do Pará? Sabe qual a diversidade de povos e questões que temos no estado? Se recebêssemos o arquivo do livro aberto, poderíamos trabalhar com os professores e estudantes do estado para acrescentar informações sobre nós mesmos.

Eu não poderia exemplificar melhor.

Se até agora, a maior parte dos livros didáticos de história contaram a perspectiva do descobrimento do Brasil, apagando tantas outras, os REA são uma possibilidade de colocar nos livros "A história que a história não conta/ O avesso do mesmo lugar". Atenção: há pesquisa acadêmica séria e evidência científica para validar outras perspectivas da história; enquanto que criacionismo, Terra plana e outras invenções não cabem na proposta colaborativa e de revisões dos recursos educacionais abertos! Há um crivo de qualidade para os REA que pressupõem revisões técnicas. Mas cabe a aula do samba-enredo da Mangueira em 2019: "Quem foi de aço nos anos de chumbo/ Brasil, chegou a vez/ De ouvir as Marias, Mahins, Marielles, malês".

Educação indígena: esperança de cura para tempos de enfermidade

Sonia Guajajara

Quero apresentar uma breve reflexão sobre o conhecimento tradicional indígena como práxis de resistência no modo de fazer educação. Uma educação conectada com a cultura, a identidade e o território indígenas. Antes de apresentar qualquer proposta subversiva de "educação contra a barbárie", convido o leitor a refletir a respeito do seguinte: enquanto o Brasil não assumir sua dívida histórica para com os povos originários, trabalhando ativamente para repará-la, construiremos um falso futuro, mascarando nossas memórias e oprimindo os corpos presentes.

Já de início é preciso contestar o imaginário social do "índio" – ou indígena brasileiro – e a representação (equivocada) sobre esse sujeito na sociedade brasileira. Essa representação social dos povos indígenas é permeada por um discurso colonial que lhes destina um espaço subalterno, periférico e marginal. O resultado é uma visão hegemônica estereotipada e distorcida: povos indígenas são atrasados, primitivos, preguiçosos, entraves ao desenvolvimento social e econômico do país. E o que índios são e podem ser de fato? Advogados, médicos, enfermeiros, cineastas, músicos, políticos, guardiães da floresta, mulheres,

172 | Educação contra a barbárie

crianças, homens, líderes, gente comum... São e podem ser, enfim, tudo o que cabe na diversidade da sociedade brasileira.

Afrontar a ideia do índio incivilizado, incapaz de acompanhar as tendências e mudanças do mundo, é fundamental, o primeiro passo para a desconstrução do pensamento em direção à troca de saberes que passamos a chamar de interculturalidade. Ora, para além da capacidade de lidar com os desafios da modernidade, nós, povos indígenas, somos detentores de vários e preciosos conhecimentos tradicionais. A apropriação do nosso conhecimento do território, dos alimentos e das medicinas permitiu aos colonizadores europeus avançarem sobre o solo brasileiro de forma tão devastadora.

Justamente para não repetir os erros do passado, a interculturalidade não pode ser pensada e praticada numa via de mão única. Há os que bebem e se alimentam dos conhecimentos das aldeias. E também deve haver espaço para que nossos corpos transitem e experienciem vivências para além do chão da aldeia. Pois quando nos abrimos para a experiência intercultural, somos capazes de aprender com as diferentes dinâmicas culturais e de expandir as fronteiras de nossos próprios universos. Considerar a possibilidade de uma educação diferenciada, nutrida nos conhecimentos tradicionais, é o ponto de partida para a prática da descolonização do pensamento.

Uma das maiores barbáries da história brasileira foi – e continua sendo – o projeto de (re)colonização programada estrategicamente concentrado na educação, na formação no pensamento, e que levou a um adoecimento da nossa sociedade. Nosso povo, em grande parte, perdeu a conexão com suas matrizes ancestrais. Que esperança há em alguém que é incapaz de responder (ou, pelo menos, de perguntar) quais são as suas raízes culturais? Em alguém que, ainda por cima, se permite questionar e violentar aqueles que ainda conectam seus corpos a seus lugares de pertença? Enquanto a sociedade brasileira não reaprender a contar a história do Brasil com a contribuição de nossos saberes e mentes, continuaremos colonizados e aprisionados. É justamente na escola, o espaço das construções simbólicas sobre as alteridades, que essa transformação precisa começar a acontecer.

Nós, povos indígenas, acreditamos em uma educação que dialogue com o movimento da vida, com o viver no território, pois o território também ensina. Consideramos o aprender por meio dos conhecimentos tradicionais como um "aprender sem se prender", sem prender os corpos no lugar único da sala de aula, pois quando cercamos os corpos limitamos a mente.

A educação indígena, que se orienta e relaciona com a organização social comunitária e com o território, tem origem na sabedoria ancestral e milenar.

Esse conhecimento é capaz de colaborar na construção de um outro projeto político educacional para o país, em que a epistemologia nativa se afigura como possibilidade de cura política, educacional e intelectual. A educação indígena se pauta na defesa da democracia: não pode haver corpos e mentes livres onde campeia um projeto de sociedade que reprime vozes e corpos. O sonho de um Brasil melhor é, sem dúvida, o de um Brasil que considere a sua pluralidade: não acreditamos em democracia parcial. Um projeto de educação democrática e transformadora deve nos reconectar com a nossa ancestralidade, trazendo a cultura para a centralidade e reconhecendo a sua diversidade.

Precisamos reagir às tentativas de silenciamento de professores, sobretudo daqueles que trazem a diversidade para o centro dos debates da educação. Devemos romper com a estratégia falida de (re)colonização programada do Estado brasileiro. Precisamos estar lúcidos para enfrentar as estratégias cada vez mais sofisticadas de confundir a sociedade brasileira, como as *fake news* e as cortinas de fumaça. Temos de nos contrapor ao velho modo de intimidação, que cala as vozes dissonantes por meio da violência: ou o silêncio ou a morte. O projeto do capitalismo e a (re)colonização programada têm nos matado de várias formas, seja pela execução dos corpos, seja pelo adoecimento das mentes. É nesse cenário de enfermidade política, também projetado nas políticas educacionais, que a educação indígena precisa ser escutada e levada a sério. Não se pode curar o mal com enfermidade.

A educação indígena tem muito a ensinar: o respeito aos diferentes espaços e tempos, a ênfase na territorialidade, o fazer democrático e plural. Dar relevância a esse outro jeito de ensinar e aprender é um caminho de cura, um remédio para tempos de doença social. Que a escola comece a considerar o espaço do território como um lugar onde também se aprende – o ritual, a língua, a matemática, a física, a química, o escrever e inscrever o outro –, mas sem perder a conexão com aquilo que se é e com aquilo que se vive. A escola precisa fazer sentido em relação ao que já somos no mundo, sem nos desconstituir colonizando as nossas mentes. Se nós, povos indígenas, até hoje estamos vivos e com nossas identidades, é porque aprendemos a usar a escola a nosso favor. A educação é para nós, para nos curar, e não para nos dominar.

Pedagogia da resistência[1] e o projeto educativo das escolas do MST

Alessandro Mariano

O MST tem construído um projeto de educação herdeiro das lutas pelo direito à educação pública no Brasil. Suas escolas e práticas educativas visam contribuir com a construção da sociedade socialista. Constitui-se uma pedagogia *da* e *em* resistência, pois é construído no processo de organização das famílias sem-terra na luta pela Reforma Agrária.

As escolas do MST têm como objetivo a formação de lutadores(as), construtores(as) de uma nova sociedade, o que exige mudança da forma e do conteúdo da escola, bem como do papel dos(as) educadores(as). Por isso, estas escolas sofrem perseguições da classe burguesa, no sentido de criminalizá-las, indicando suas práticas educativas como não legítimas[2].

---

[1]   O termo "pedagogia da resistência" diz respeito ao conjunto de estratégias das pedagogias contra-hegemônicas realizadas pelos movimentos populares e sindicais na busca de se contrapor às medidas neoliberais e conservadoras deste tempo.

[2]   Alessandro Santos Mariano, *Ensaios da escola do trabalho no contexto das lutas do MST*: a proposta curricular dos ciclos de formação humana com complexos de estudo, nas escolas

176 | Educação contra a barbárie

Num cenário de recrudescimento de uma nova direita com características neofascistas, tem aumentado a criminalização dos movimentos e organizações populares, operadas pelo Estado, tanto na classificação desses movimentos de luta social como grupos terroristas, quanto pelo aparato jurídico, que já é historicamente usado contra a luta pela terra. Ou seja, a classe burguesa gestando o Estado passa a incitar a violência contra o MST, disseminando discursos de ódio, declarando o MST e suas escolas como inimigos, realizando ataques e ameaças de fechamento[3].

A luta do MST pelas escolas públicas no campo

O MST, em seus 34 anos de existência (1984-2019), juntamente com a luta pela reforma agrária, sempre lutou por escolas públicas nas áreas de assentamentos e acampamentos, compreendendo-as como espaços de socialização do saber acumulado pela sociedade ao longo da história, de desenvolvimento de todas as dimensões do ser humano, bem como de formação da consciência dos(as) trabalhadores(as).

Inicialmente, na década de 1980, a luta se restringia à educação fundamental para crianças e adolescentes. A partir da organização do Setor de Educação do MST, em 1987, essa visão foi ampliada e, assim, compreendeu-se a importância de realizar um processo amplo de alfabetização e de educação de jovens e adultos, que já acontecia desde os primeiros acampamentos. Na sequência, avançou-se para a luta pela educação infantil e, na última década, pelo acesso ao ensino superior.

Com a compreensão alargada do direito à educação, no final da década de 1990 e no início dos anos 2000, começaram as lutas específicas pela escola de ensino médio nas áreas de Reforma Agrária ou, mais amplamente, pela conquista de escolas de educação básica, incluindo todos os níveis e modalidades de ensino, formulando o projeto de Reforma Agrária popular, que compreende a constituição de assentamentos com escolas, postos de saúde, centros de lazer, cooperativas e outros; a produção de alimentos sem agrotóxicos, de forma agroecológica; a organização de processos de cooperação e de novas relações humanas igualitárias, sem racismo, sem machismo e sem LGBTfobia.

---

itinerantes do Paraná (Dissertação de Mestrado em Educação, Guarapuava, PR, Universidade Estadual do Centro-Oeste, 2016).

[3] Maura Silva, "2019 será sinônimo de luta e resistência", *MST*, 30 dez. 2018; disponível em: <http://www.mst.org.br/2018/12/30/2019-sera-ser-sinonimo-de-luta-e-resistencia.html>.

Uma marca importante nessa trajetória de luta pela educação refere-se ao protagonismo das crianças, dos adolescentes e jovens dos acampamentos e dos assentamentos, por meio dos chamados Encontros dos Sem Terrinha. São atividades regionais, estaduais ou nacional que reúnem crianças e adolescentes para estudarem o Estatuto da Criança e do Adolescente (ECA) e para construírem ações de reivindicação como marchas, passeatas, audiências de negociação com governos e também a Jornada da Juventude Sem Terra, espaço de auto-organização dos jovens de 15 a 29 anos.

As escolas de educação básica do MST são escolas públicas, conquistadas à base de pressão aos órgãos governamentais. Fruto da resistência dos(as) trabalhadores(as) sem-terra e de suas propostas pedagógicas, seguem a Lei de Diretrizes e Bases da Educação Nacional (LDB) e são aprovadas pelos órgãos reguladores dos sistemas de educação municipal ou estadual. São, portanto, escolas legalmente constituídas e que têm a participação da comunidade e o diálogo entre famílias, educadores(as) e estudantes como pilar fundamental.

O MST conquistou aproximadamente 1.500 escolas públicas (estaduais e municipais) nos seus assentamentos e acampamentos, das quais 120 oferecem até o ensino médio, duzentas o ensino fundamental completo e as demais os anos iniciais. Nelas estudam aproximadamente 200 mil crianças, adolescentes, jovens e adultos, e atuam cerca de 10 mil educadores(as).

Outra marca do trabalho com a educação no MST é a alfabetização de jovens e adultos, que envolveu, só em 2018, mais de 30 mil educandos e 8 mil educadores(as). Os integrantes do MST alfabetizaram pelo menos 50 mil jovens e adultos nos últimos anos. Há também cerca de cinquenta turmas de cursos técnicos de nível médio e cursos superiores, em parceria com universidades e institutos federais, com cerca de 2 mil estudantes, que estão cursando graduação em pedagogia, direito, geografia, história etc.

O projeto educativo do MST

Nesse percurso, o Movimento foi compreendendo coletivamente a necessidade de ocupar os latifúndios e conquistar a Reforma Agrária popular, mas também de ocupar a escola pública no sentido de sua apropriação pela classe trabalhadora, forjando um projeto educativo, com fundamentos e práxis pedagógica próprios, chamada de pedagogia do MST. Mais amplamente, essa pedagogia não deve ser entendida como uma concepção particular de educação e

178 | Educação contra a barbárie

de escola, ou como uma tentativa de criar uma nova corrente pedagógica[4], mas como uma forma de trabalhar com diferentes práticas e teorias da educação, historicamente construídas, desde os interesses sociais e políticos dos(as) trabalhadores(as) e tendo a dinâmica do Movimento (suas questões, contradições, necessidades formativas da luta e do trabalho) como referência para construir sínteses próprias, igualmente históricas e em movimento.

Em seu projeto educativo, o MST entende a educação como processo de formação humana. Dessa forma, a educação precisa ser pensada/realizada desde conexões fundamentais na constituição histórica do ser humano: vida produtiva (trabalho na produção das condições materiais de existência), luta social, organização coletiva, cultura, história. Isto quer dizer que o projeto assume uma visão materialista histórica[5] de educação, contrapondo-se a uma visão idealista que é corrente no pensamento educacional, que crê que as pessoas se educam nas ideias, pelas ideias e para as ideias (consciência abstrata), e que se desdobra numa pedagogia da palavra.

O projeto educativo do MST está sistematizado em um conjunto de materiais que vêm sendo elaborados desde 1990 pelo Setor de Educação, partindo das várias experiências e práticas educativas nos acampamentos e assentamentos, e compõem uma série de documentos e livros[6] que dão corpo à proposta político-pedagógica[7] do MST.

Em síntese, evidenciamos, desde as sistematizações dos *Cadernos de Educação*, que o projeto educativo do MST busca a formação e o desenvolvimento pleno do ser humano em suas diversas capacidades, o desenvolvimento omnilateral, e propõe uma nova forma escolar que tem como base a pedagogia socialista, a pedagogia do oprimido e a pedagogia do MST, que enfatiza quatro aspectos: a) uma estrutura organizativa que envolva todos no processo de decisão, com gestão democrática, auto-organização dos estudantes, coletivos pedagógicos, direção coletiva e divisão de tarefas; b)

---

[4] Roseli Salete Caldart, *Pedagogia do Movimento Sem Terra* (São Paulo, Expressão Popular, 2004).

[5] O materialismo histórico é uma concepção filosófica que compreende que as relações sociais de produção são construídas a partir das condições materiais existentes. Ver Karl Marx, *Contribuição à crítica da economia política* (São Paulo, Martins Fontes, 1983), p. 201.

[6] Tais documentos encontram-se reunidos no *Caderno de Educação n. 13, edição especial: Dossiê MST escola – documentos e estudos 1990-2001*, organizado e publicado pelo Setor de Educação do MST (São Paulo, Expressão Popular, 2005).

[7] Em 1996, o Setor de Educação do MST publicou o *Caderno de Educação n. 8, Princípios da educação no MST*, no qual apresenta a sistematização de sua concepção pedagógica. Ver Mariano, cit.

organização do ambiente educativo, para a visão de que a escola toda educa, com a organização de tempos educativos, como aula, trabalho, oficina, esporte e lazer, estudo, reuniões. E a organização de espaços educativos: horta, jardim, oficina, laboratório, sala de leitura, espaço de convivência coletivo, entre outros; c) o trabalho como princípio educativo, que pode ocorrer na escola, nos chamados autosserviço[8], mas também fora dela, realizado em conjunto com a comunidade, o *trabalho socialmente necessário*, objetivando a formação *pelo* e para o *trabalho*; d) formas de estudo que materializem uma concepção de conhecimento que permita compreender a realidade (natural e social) nas suas relações e contradições essenciais[9].

Pedagogia da resistência

O MST e suas escolas assumem a pedagogia da resistência, somam-se às lutas populares de nosso tempo contra a expansão neoliberal e a perseguição ideológica. Neste momento, resistir e reafirmar a luta pelo direito à educação pública, de qualidade e laica é tarefa histórica do conjunto da classe.

O direito à educação no Brasil não é assegurado a todos os trabalhadores e trabalhadoras. O projeto escravocrata, latifundista e agroexportador do país explica por que a universalização da educação básica não se concretiza e ainda existam 14 milhões de jovens e adultos não alfabetizados, sendo 20,8% deles analfabetos, e uma população camponesa com uma média de apenas 4,4 anos de estudo. No campo se concentra o maior contingente de crianças fora da escola, os menores índices de atendimento à educação infantil, a maior precariedade física das escolas, as piores condições profissionais de trabalho docente, os contratos de trabalho mais precários, o maior número de educadores(as) que atuam sem formação inicial.

Esses dados revelam a importância da luta e do projeto educativo do MST. Ele incomoda a burguesia e os defensores do modelo privatista da educação por reafirmar a defesa da educação pública como direito, e não como mercadoria, e por denunciar o modelo de sociedade excludente que não assegura o direto à educação.

Entre os anos de 2003 e 2014, foram fechadas mais de 37 mil escolas no campo. A política de transporte escolar afasta as crianças das escolas, seja pelo tempo gasto nas péssimas estradas, seja pelos meios de transporte precários.

---

[8] Serviços necessários para a própria sobrevivência, como preparo de alimentos, limpeza etc.

[9] Ver *Caderno de Educação n. 13*, cit.

180 | Educação contra a barbárie

O modelo de agricultura que massacra e expulsa famílias camponesas de seu território, somado à lógica privatista das políticas educacionais, têm acelerado o fechamento de escolas públicas no campo e dificultado a construção de novas que atendam às diferentes etapas da educação básica, negando às populações o direito de estudar no lugar onde vivem e trabalham.

O MST considera que a socialização das crianças e dos adolescentes, em espaços coletivos como a escola, é fundamental na educação pública e, por isso, não aceita que as escolas sejam substituídas por educação a distância ou domiciliar. Para o próximo período histórico, caberá às organizações e movimentos da classe trabalhadora combater e denunciar a privatização da educação pública em todas as suas formas, seguir na defesa de uma educação pública da educação infantil à universidade e atuar contra as reformas empresariais e o modelo militarista de educação. A formação integral do ser humano não pode existir com a subordinação das escolas públicas às exigências do mercado, cuja visão privatista da educação reduz as dimensões formativas da escola, rouba o tempo da aprendizagem, instala uma competição doentia e amplia a exclusão dos(as) trabalhadores(as).

Muito além da escola: as disputas em torno do passado no debate público
Rede Brasileira de História Pública[1]

Mais um ano em que do asfalto renasce a esperança compartilhada por um público que vibra e canta os versos de uma outra história. Na Quarta-feira de Cinzas, dia 6 de março de 2019, foi consagrada campeã do Carnaval carioca a Estação Primeira de Mangueira, tradicional escola de samba que levou para o Sambódromo o samba-enredo "História para ninar gente grande". De autoria compartilhada por Manu da Cuíca, Luiz Carlos Máximo, Tomaz Miranda, Vitor Arantes Nunes, Sívio Moreira Filho e Ronie Oliveira, o samba foi traduzido num desfile campeão pelo carnavalesco Leandro Vieira, cujo enredo se propôs a "contar a história que a história não conta". Na esteira da tomada de posse da palavra cantada por uma outra agremiação, a Paraíso do Tuiuti – escola do tradicional bairro de São Cristóvão, no Rio de Janeiro, que em 2018 havia indagado se a escravidão realmente havia sido abolida –, a história do Brasil passou a ser reescrita em um espaço tão público quanto o da Marquês de Sapucaí.

---

[1] Texto produzido por Ana Maria Mauad (UFF), Juniele Rabêlo de Almeida (UFF) e Ricardo Santhiago (Unifesp).

182 | Educação contra a barbárie

Não é de hoje que o Carnaval aciona as disputas em torno da forma como o passado se torna narrativa a ser compartilhada, consolidando-se ao longo de sua própria história como uma arena de conflitos sobre quem e o quê, de fato, nos representa nos quadros de uma história nacional. O Brasil como comunidade imaginada se reconfigura a cada novo enredo carnavalesco – e o Carnaval vira um grande balão de ensaio de histórias públicas. Públicas porque produzidas e compartilhadas por uma *comunidade de sentido* que partilha referências simbólicas: as escolas de samba, espaços que carregam no seu nome o atributo do aprendizado. Na escola se aprende a sambar e a recriar passados possíveis; pontos de fuga imaginativos e críticos, posicionados fora do âmbito da mera nostalgia.

Não é de hoje também que em diferentes espaços públicos, mais ou menos institucionalizados, as disputas em torno dos usos do passado configuraram narrativas em confronto sobre o quê e quem nos representa. Dos quadros expostos nos salões das belas-artes, entronizados nos museus nacionais, às praças públicas, com seus monumentos, passando pelo escurinho dos cinemas e pelas biografias dos chamados grandes personagens, as alegorias do passado se tornaram musas de uma história imaginada por homens brancos heroificados pelo valor de sua posição social e política. Foi esse tipo de narrativa que se cristalizou nos tradicionais livros de história, ao incorporar a versão vitoriosa das disputas pelos sentidos do passado vivido por mulheres e homens de diferentes classes e etnias.

Entretanto, vale lembrar que a história ensinada há alguns anos vem sendo reformulada desde dentro da escola, quer pela atitude crítica de todos nós que defendemos a pluralidade e a diversidade de passados possíveis, quer pela tenacidade de professores que entendem sua profissão como algo intrinsecamente conectado à liberdade de pensamento e de crítica, quer pela ação receptiva e propositiva dos governos democráticos que transformaram em letra de lei o direito à história. A obrigatoriedade do ensino da história e cultura de afrodescendentes e dos povos indígenas, por exemplo, levou a uma significativa reformulação dos livros didáticos de história[2] e a uma intensa autorreflexividade por parte daqueles que têm a escola como espaço de reali-

---

[2] Em 2003, a Lei n. 10.639 alterou Lei de Diretrizes e Bases da Educação Nacional (LDB, Lei n. 9.394/96) para incluir no currículo oficial das redes de ensino a obrigatoriedade do estudo da história e cultura afro-brasileira. No ano de 2008, a Lei n. 11.645 alterou novamente a LDB para incluir no currículo a obrigatoriedade do estudo da história e cultura dos povos indígenas. Assim, a legislação passou a exigir a inclusão no currículo oficial das redes de ensino a obrigatoriedade do estudo da história e cultura afro-brasileira e indígena.

zação do seu ofício. Essa reformulação pode ser traduzida nos versos do samba da Mangueira de 2019:

Brasil, meu nego
Deixa eu te contar
A história que a história não conta
O avesso do mesmo lugar
Na luta é que a gente se encontra

Brasil, meu dengo
A Mangueira chegou
Com versos que o livro apagou
Desde 1500
Tem mais invasão do que descobrimento
Tem sangue retinto pisado
Atrás do herói emoldurado
Mulheres, tamoios, mulatos
Eu quero um país que não está no retrato

Uma atitude historiadora como resposta ao chamado revisionismo

Os sambas-enredo da Tuiuti, em 2018, e da Mangueira, em 2019, convergem para valorizar os sentidos da história que se conta ao "avesso do mesmo lugar". Por meio dessa estratégia, e fazendo coro ao que, nos anos 1980, se chamava nos meios acadêmicos de "a história vista de baixo", desloca-se o foco da narrativa hegemônica dos dominadores para os dominados.

Desenvolve-se assim uma atitude historiadora através da qual sujeitos no presente tomam posse do seu passado para plasmarem uma outra narrativa sobre a experiência histórica, que pode ser compartilhada publicamente com todos que partilham o pressuposto de que não há um único passado a se contar e um único sentido para o futuro que está por vir. Da identificação empática entre narrativa histórica e sucessão de feitos gloriosos, nada sobra senão a motivação para o engajamento na construção de novas narrativas multifocais e responsáveis – em diálogos que valorizem a pesquisa científica, a circularidade do conhecimento e o compromisso ético para a ampliação dos públicos da história.

Cabe, portanto, a cada comunidade, agremiação, coletivo, etnia, grupo de sentido, ou o nome que se venha a dar a esse novo sujeito plural, tomar a posse da palavra e narrar a sua própria história em prosa ou verso – e também em imagem estática, em imagem em movimento, e nos tantos outros recursos, suportes

184 | Educação contra a barbárie

e linguagens que têm viabilizado uma polifonia de leituras do passado –, sem que isso implique o apagamento de situações, processos ou eventos, o que levaria a ações equivalentes às estratégias conservadoras de revisionismo em teses negacionistas. Em geral, quem nega o peso do passado são os perpetradores – aqueles a quem a história deve cobrar a conta dos massacres, perseguições, etnocídios e genocídios.

Uma história polifônica implica o destrinchamento, e não o apagamento, das formas pelas quais a própria história e a memória se construíram. O próprio revisionismo – enquanto fenômeno contemporâneo global que, no Brasil, tem servido para encobrir a violência e o autoritarismo de nosso passado – deve ser tomado como objeto de análise. Cabe compreender e explicar em que sentido os gestos negacionistas e revisionistas que questionam a história da escravidão ou da ditadura militar brasileira, por exemplo, são também reações violentas e autoritárias contra a democratização da história.

O compromisso com a veracidade histórica por parte de historiadoras e historiadores, profissionais de ofício, não contradiz o movimento de ultrapassagem dos muros da universidade pela chamada *história pública*. A prática historiadora acadêmica se torna plena quando se endereça a um público que, em condições ideais, deveria abranger toda a sociedade, em vez de um universo restrito. Não se trata de um movimento unidirecional, pelo qual a universidade vai à sociedade. Pelo contrário, trata-se de compreender que o alimento para a produção de conhecimento e de significações históricas vem do corpo social, com suas demandas, seus silêncios, suas falas. Assim, a história pública pode ser entendida como um espaço de encontro e circularidade dos saberes.

Em seu próprio desenvolvimento enquanto disciplina, definindo seu método e seus objetos, a história afastou-se do espaço comum e fez pressupor uma hierarquia que atribui ao saber universitário, ao saber escolar e ao saber socialmente compartilhado não apenas naturezas distintas (que efetivamente possuem), mas direitos de acesso e graus de legitimidade que podem ter tornado mais difícil o caminho para certos grupos sociais conhecerem e transformarem os conhecimentos sobre si mesmos.

A recente emergência de uma reflexão coletiva sobre o caráter público da história, bem como de sua ligação com a educação em sentido amplo, é uma evidência sonora de seu valor social e de seu significado no presente, como um saber humanístico do qual nenhuma sociedade pode abrir mão. É uma evidência, também, da demanda pela incorporação de pontos de vista plurais sobre a experiência do homem no tempo, que não podem se reduzir àqueles "autorizados" por governos ou corporações. É fomentando a solidariedade entre as atitudes historiadoras, em diferentes espaços públicos, que a história sobreviverá como conhecimento vital na compreensão da experiência passada, como um fundamento necessário para, no presente em que se vive, definir estratégias de porvir. Sem a renovação da pesquisa histórica como saber crítico, compartilhado e realizado em diferentes espaços – dentre os quais a sala de aula tem destaque –, torna-se muito difícil conseguir "um país que não está no retrato".

A escola que queremos, um espaço de criatividade e pluralidade

Pode-se aprender história nas escolas no mesmo ritmo em que se canta o samba-enredo da Mangueira ou o da Tuiuti. Porém, como garantir uma escola que acolha a pluralidade de sujeitos em territórios plurais, sem que ela se aliene do seu entorno nem nele se enclausure? Eis o desafio que se coloca para a história ensinada: como fomentar a atitude historiadora em tempos de presente contínuo e de incentivo ao esquecimento pela produção exponencial da novidade?

Algumas estratégias possíveis residem em valorizar a memória como dimensão criativa dos sujeitos, em incentivar a performance como vivência de experiências pregressas, em ultrapassar a escrita como meio por excelência de expressão escolar, em cantarolar, dançar, emocionar-se diante da incontornável diversidade do mundo e divertir-se com aquilo que se descobre todos os dias. E também em significar as memórias – observando as trajetórias de vida, os corpos em movimento e a gestualidade – para potencializar práticas de liberdade e processos de resistência frente aos autoritarismos. Ou, ainda, em seguir o rumo do poeta: "Tenho o costume de andar pelas estradas. Olhando para a direita e para a esquerda, e de vez em quando olhando para trás... E o que vejo a cada momento é aquilo que nunca antes eu tinha visto, e eu sei dar por isso muito bem..."[3].

Um desafio contínuo é o de abraçar esse caráter ativo, criativo e compartilhado do conhecimento histórico e, ao mesmo tempo, repelir abordagens que relativizam o vivido e colocam em pé de igualdade leituras sobre a existência ou não de repressão durante a ditadura militar, por exemplo – como se estas fossem meras "versões", igualmente legítimas, da história.

A história pública, mediadora de saberes em diálogo e em conflito, é uma poderosa plataforma de observação e ação frente às múltiplas possibilidades

---

[3] "Ficções do interlúdio. Poemas completos de Alberto Caeiro", em Fernando Pessoa, *Obra Poética* (Rio de Janeiro, Nova Aguilar, 1977), p. 204.

186 | Educação contra a barbárie

de tomada de posse da experiência passada pelos coletivos que se formam nas trincheiras culturais: de comunidades quilombolas a movimentos pelo direito à moradia, de coletivos artísticos urbanos a associações de familiares de desaparecidos. Ela expressa o trabalho de memória em diversas comunidades de sentido, considerando as permanências e mudanças sociais, e assumindo o desafio de repensar os problemas históricos. Os diversos ativismos contemporâneos, no Brasil, irradiam práticas de história pública em projetos independentes marcados por ações engajadas e parcerias – entre professores, historiadores, lideranças comunitárias, cineastas, jornalistas, produtores culturais, atores, artistas plásticos entre outros – para a transformação social em meio aos conservadorismos e intolerâncias.

Na educação, para além da comunidade escolar, a história pública potencializa a produção de sites, blogs, *podcasts*, games, aplicativos para celular, turismo histórico a partir de mapas interativos; bem como filmes, séries e documentários. Digitalizar, catalogar e garantir acesso livre na internet são dimensões importantes da história pública; mas é fundamental atentar para os interesses envolvidos e qualificar os debates públicos por meio dos esforços colaborativos (circularidade do conhecimento histórico) que mobilizam compromissos sócio-históricos. A história pública convida todos os sujeitos sociais – estudantes e professores, inclusive – a serem protagonistas da reflexão histórica (narrada, construída e analisada), atribuindo sentido ao trânsito na ponte temporal presente-passado e vislumbrando horizontes de expectativas compartilhados.

O que aprendi
(e o que não aprendi) na escola
Aniely Silva

Os mais velhos acham que, aos dezesseis anos, os jovens não viveram nada e não entendem nada sobre as suas vidas. Tratam-nos como uma folha em branco, que pode ser rabiscada e "apagada", quando as coisas não dão certo, fingindo que nada aconteceu. Como ser protagonista da minha própria história, se a todo tempo tenho que reafirmar que sei o que estou fazendo e que posso decidir o que é melhor para mim? Vivi 21 anos e não aprendi nada sobre a vida? A desvalorização dos meus pensamentos e das minhas atitudes me fez, durante um tempo, perder a vontade de viver.

A escola é o lugar onde as pessoas podem finalmente ser quem elas são e conquistar o seu espaço. É o lugar onde os maiores conflitos das descobertas pessoais aparecem. E como é assustador. Ninguém te ampara nos teus problemas. Nem pense em contar para alguém que você tem medo de fazer sexo ou que você não faz ideia de como é beijar na boca. Imagina se alguém descobre que você não sente atração pelo sexo oposto. É ótimo poder decidir o que vai vestir e poder pedir uma opinião sobre o penteado que vai usar com aquela camisa para os seus pais ou irmãos, mas eles não podem nem sonhar que você não é o que eles esperam que você seja.

188 | Educação contra a barbárie

Não nos ensinam muitas coisas na escola, e muito menos em casa. Uma delas é entender quem somos. Como é possível construir uma identidade, se não se pode nem falar de algo que já viveu sem ouvir "isso não é nada", ou, "não fez mais que a sua obrigação"? Ninguém nos ensina a gostar de nós mesmos, a sermos livres para escolher a hora mais confortável de viver nossa sexualidade, seja ela qual for, a respeitarmos o corpo e o espaço do outro, a percebermos as nossas fraquezas, a preservarmos a nossa saúde física e mental.

Aos doze anos, percebi que as minhas amigas na escola já gostavam dos meninos – algumas já tinham até beijado aqueles que elas gostavam –, e eu nunca tinha sentido vontade de nada daquilo. Achava que havia algo estranho, mas nunca tinha percebido nada de errado; acreditava que não estava na hora de acontecer comigo, já que eu ainda me sentia criança e brincava de boneca. Quando cheguei aos catorze, ainda não sentia atração pelos meninos, e todas as minhas amigas já tinham perdido o "BV", ou seja, beijado pela primeira vez. Eu me sentia "atrasada" nesses assuntos, e lia muitas revistas adolescentes que reforçavam a heterossexualidade e os relacionamentos jovens.

Eu nunca tinha conversado com ninguém sobre como me sentia. Guardava tudo para mim, mas sentia um palpitar diferente no corpo quando chegava perto de determinadas meninas, algo que eu nunca tinha sentido antes. Havia uma garota em especial que era muito atenciosa comigo e eu com ela. Eu adorava conversar com ela, e fazia questão de ficar depois da aula, na frente da escola, para bater papo. Sentávamos em uma escada no fim da rua da escola, e passávamos um tempão lá. Foi lá que nos beijamos pela primeira vez. Foi com ela que descobri que gostava de garotas, e eu me sentia muito bem com isso.

Na escola, esse era um assunto proibido. Ninguém falava nada. A coordenação da escola era composta por três irmãs biológicas, que também eram de uma igreja. Elas usavam saias até os joelhos, e incentivavam as meninas a se sentarem com as pernas fechadas, a falarem baixo, a não correrem e a se "comportarem". Quando alguém fazia algo que era considerado errado, descia para a coordenação para receber sua punição. Algumas pessoas tinham que ler capítulos da Bíblia e copiar diversas vezes, em folhas de caderno, um mesmo versículo escolhido por uma das coordenadoras. Era algo vexatório, sobre o qual ninguém falava. Só descobrimos que isso acontecia durante a ocupação, quando o assunto surgiu entre nós. Percebemos que muitos de nós tinham passado por aquilo e nem sequer comentado com alguém.

Lembro de uma vez em que eu estava na sala com uma amiga e ela estava com o braço por cima do meu ombro. Minha professora de física veio até nós e, no meio da sala, gritou: "Meninas, vocês sabem que positivo com positivo dá negativo. Podem ir soltando esses braços aí, que eu não quero esse tipo de coisa na minha aula". Na mesma hora, os outros alunos começaram a rir. Me senti envergonhada, mas naquele momento não entendia direito o motivo de essas coisas acontecerem comigo; afinal, os casais heterossexuais se beijavam dentro da sala e nunca ouviam que não podia. Eu tinha uma amiga, aluna transexual, que estudava no ensino médio no período noturno e foi proibida de usar o banheiro feminino pela diretora, ainda que as outras alunas da escola concordassem com a presença dela.

Eu sempre achei que a minha família era aberta para conversar. A minha mãe, com quem eu tinha um relacionamento ótimo, tinha amigas transexuais e nós frequentávamos as casas delas. Achava que quando minha mãe descobrisse sobre o meu relacionamento, seria tranquilo e normal. Não quis contar no início, mas me preparava para isso. Não era a mesma coisa com meu irmão mais velho: minha mãe adorava as histórias dele com as garotas.

Um dia eu estava fazendo brigadeiro em casa e minha mãe chegou nervosa. Ela tremia toda. Parou do meu lado e disse para que eu desligasse o fogo. Obedeci, e ela me perguntou: "Que história é essa de que você está ficando com uma menina?". Ela estava muito brava e com uma cara de reprovação. Fiquei com tanto medo que neguei, mas ela logo pediu meu celular e acabou descobrindo tudo. Nesse dia, apanhei muito dela e do meu pai. Minha mãe me fez prometer que eu não faria isso nunca mais. Recebi muitas ameaças. Foi um dos piores dias da minha vida. Não desejo o que passei para ninguém. Pensei várias vezes em tirar a minha própria vida, e como isso é dolorido de lembrar. Era a minha vida, e eu estava feliz, mas aquilo me deixou sem saber para onde correr. Durante um tempo, achei que eu era o problema. Meus pais e a escola me repreendiam por eu ser quem eu era.

Fui percebendo que mesmo que eu me esforçasse para gostar de garotos, não conseguia sentir nada por eles. Passei a acreditar que pra ser feliz eu teria que abandonar completamente a minha família, ou então viveria uma vida triste para não decepcionar meus pais. Minha melhor amiga foi quem me apoiou nesse caos, e foi por ela que eu me apaixonei. Decidi fazer um curso no centro de São Paulo para poder passar mais tempo com ela, e como os meus pais não frequentam a região, seria o lugar perfeito para eu viver como queria sem ter que abandonar minha família.

190 | Educação contra a barbárie

Foi nesse curso, sobre direito à educação, que eu me descobri apaixonada pela escola[1]. Aprendi sobre os meus direitos e descobri uma escola diferente, inclusiva, que poderia lidar com as diferenças de forma saudável. Entendi que a escola é estruturada para excluir e para colocar seus estudantes para competir uns com os outros. Foi bem nesse momento que o projeto de reorganização das escolas estaduais de São Paulo foi lançado.

Cheguei na escola de manhã, e havia várias listas na parede do pátio com os nomes dos estudantes e para onde seriam transferidos. Não foram explicados os motivos, e nem o que era a tal reorganização. Na escola onde eu estudava, que oferecia todos os anos do ensino fundamental, o ensino médio e a Educação de Jovens e Adultos (EJA) nos três períodos do dia, sobraria apenas o fundamental de manhã e à tarde depois da reorganização.

Assim que consegui entender o quão prejudicial isso seria para a minha escola e para todos os estudantes que não teriam condições de se manter em uma escola longe de casa, percebi que não podia ficar sem fazer nada. Junto a um grupo de estudantes, ex-estudantes e de pessoas do bairro, decidimos ocupar a nossa escola como forma de resistência. Sabíamos que algumas unidades mais centrais já estavam ocupadas; não tínhamos ideia sobre como fazer a ocupação, mas fomos com coragem.

De início, queríamos apenas barrar a reorganização, mas em pouco tempo percebemos que era mais que isso. Descobrimos desvios de dinheiro por parte da diretora[2], a existência de comida vencida na cozinha, de produtos químicos vencidos[3], de materiais didáticos escondidos – livros, CDs, *datashow*, materiais para aulas de arte e instrumentos musicais novos, ainda embrulhados em plástico bolha. Problemas na estrutura física da escola como goteiras, telhas esburacadas, infestações de ratos, tetos cedendo, fiação exposta, ventiladores quebrados, banheiros sem papel higiênico, sem privadas e sem portas eram

---

[1] Sobre essa formação, no projeto Jovens Agentes pelo Direito à Educação (Jade), da ONG de educação popular Ação Educativa, ver Bárbara Lopes, Natália Bouças e Raquel Souza, *Jovens e direito à educação*: guia para uma formação política (São Paulo, Ação Educativa, 2016). Também na Ação Educativa, fui uma das pessoas que produziu a cartilha *Por que discutir gênero na escola?*, lançada em 2016; disponível em: <http://acaoeducativa.org.br/wp-content/uploads/2016/09/publicacao_porquediscutirgeneronaescola.pdf>. A publicação resulta de uma extensão do Jade: o curso Jovens Agentes pelo Direito à Igualdade de Gênero na Escola (Jadig).

[2] E até conseguimos abrir um procedimento de investigação contra ela na Diretoria de Ensino.

[3] Como na escola não havia laboratório, esses materiais, que supostamente eram para as aulas de química e ciências, estavam guardados em um armário dentro do banheiro feminino.

comuns para todos os estudantes. Passamos a fazer outras reivindicações durante a ocupação.

Foi um movimento forte e lindo, que contou com a participação de muitos rostos que antes eram desprezados pela escola. Foi um ato unificado de estudantes de todas as partes, da comunidade escolar, de pais que não conheciam as mazelas da escola e a situação dos professores que gritavam sozinhos por melhorias. Foi a hora de as pessoas entenderem que estávamos em outro momento na educação, que uma cultura política de algum modo nascia ou se renovava nos estudantes, que não iríamos mais abaixar a cabeça. Foi um momento de emancipação da escola e dos estudantes, que, na verdade, já ocupavam a escola todos os dias. Os estudantes entenderam por que a escola existe e a quem ela pertence.

Fomos ameaçadas e levamos bombas enquanto dormíamos. Nos dividimos em grupos, lavamos a escola, cozinhamos para todos, fizemos oficinas, jogos, palestras e assembleias. Construímos juntos o espaço. Defendemos, gritamos e lutamos por ele. Reivindicamos o nosso direito a uma escola de qualidade, nos apoiamos e explicamos para o máximo de pessoas a importância do que estávamos fazendo. Rimos, brincamos e estudamos. E fizemos tudo isso com a ajuda uns dos outros. Produzimos um espaço democrático e livre. Naquele dezembro de 2015, depois de estudar onze anos na mesma escola, eu me senti pertencente àquele lugar, que eu finalmente me senti em condições de construir. A escola nunca foi tão nossa.

Acabei entendendo que os problemas que eu tinha não eram necessariamente de "comportamento" ou de assimilação do conteúdo. Eram parte da descoberta de quem eu sou. Não tive ajuda em casa e nem na escola, até ver pessoas que, assim como eu, não sabiam o que fazer, mas estavam dispostas a se ajudar no que fosse preciso. Construímos juntos a nossa concepção de escola e de nós mesmas, e foi transformador.

Decidi me tornar professora para ajudar outros jovens que, em todos os lugares e a todo momento, são privados da oportunidade de entenderem quem são. Consegui subir um degrau graças aos lugares por onde passei e às pessoas que conheci e que se dispuseram a me ajudar. Tive oportunidades. Tenho orgulho do que sou e do que me tornei. De onde estou agora, a vista é incrível! Jogarei uma escada ou uma corda para todos e todas que quiserem subir mais alto do que eu consegui. Sei que plantei uma semente e que ela demora a crescer. Mas o jardim fica lindo quando floresce.

Produção do conhecimento e a luta contra a barbárie na educação
Rede Escola Pública e Universidade

No início eram as ocupações...

"A escola é nossa!", bradaram os(as) estudantes secundaristas em novembro de 2015 nas ocupações das escolas estaduais em São Paulo. Invertia-se ali uma antiga hierarquia, em que aos jovens cabia o papel de aprendizes submissos(as) à lógica da instituição escolar. No caso do estado de São Paulo, à lógica gerencial e mercadológica que vem dando o tom nas escolas estaduais há mais de duas décadas.

A grande política educacional dos governos é hoje dificilmente separável das agendas dos grandes grupos empresariais atuantes na educação. Em comum, antes e agora, a não participação dos sujeitos escolares nos processos de tomada de decisão que os afetam. O canto da sereia dos reformadores da educação é a flexibilização dos sistemas de ensino, que poderiam oferecer uma educação "à la carte", mais produtiva e "diversificada". No entanto, ao nos aproximarmos da escola real percebemos que essa receita está mais para *junk food*. Ainda que apresentada em uma embalagem cintilante, é

194 | Educação contra a barbárie

veementemente rejeitada pelos sujeitos da instituição escolar, especialmente pelos(as) estudantes. Muitas ocupações tiveram que lidar com oposições internas de professores, diretores, alunos e familiares, além da repressão policial e do assédio até mesmo de alguns conselhos tutelares.

A grande indigestão veio com a proposta de reorganização escolar da Secretaria da Educação do Estado de São Paulo (SEE-SP), que em 2015 visava fechar 94 escolas e separar em unidades de ciclo único outras 754, forçando a transferência compulsória de 311 mil estudantes e 71 mil professores no estado. Durante dois meses, estudantes e familiares realizaram protestos, enviaram ofícios e organizaram abaixo-assinados contra a reorganização, em mais de sessenta cidades do estado. Entretanto, o governo paulista negou-se a abrir um canal de diálogo. Em novembro de 2015, as ocupações das escolas inauguraram um novo período das lutas estudantis no Brasil.

No auge da mobilização, em menos de um mês, 213 escolas estavam ocupadas. A seu modo, cada ocupação encontrou um caminho de resistência e ação, angariando apoio e solidariedade de diferentes sindicatos, partidos políticos, entidades estudantis, artistas, ex-alunos famosos ou desconhecidos, além das famílias e das comunidades do entorno escolar[1]. As escolas foram acolhidas pelos(as) estudantes em ações de limpeza, cuidado patrimonial e denúncias de materiais de consumo e didáticos trancafiados em salas, inutilizados ou simplesmente longe do alcance dos(as) estudantes.

Da criatividade nos métodos de luta e do repertório autonomista – auto-organização, horizontalidade e espontaneidade nas ações –, as escolas renasceram como espaços públicos vivos e pulsantes, alegres, coloridos, envolventes, com aulas, oficinas, artes, palestras e uma enorme diversidade de ações educativas por parte de estudantes e apoiadores das ocupações.

Após um dia de intensas ações de trancamento de ruas e avenidas, no dia 4 de dezembro de 2015, menos de um mês após a primeira ocupação, a mobilização estudantil teve a sua vitória, com o anúncio da revogação dos atos relacionados à reorganização escolar pelo governador Geraldo Alckmin.

Rede Escola Pública e Universidade

Entusiasmados pelas boas-novas que vinham das escolas, mas também cientes da repressão vigente e do caráter autoritário da gestão do ensino em

---

[1] Este não foi, evidentemente, um processo fácil ou linear. Ver Antonia Malta Campos, Jonas Medeiros e Márcio Moretto Ribeiro, *Escolas de luta* (São Paulo, Veneta, 2016).

São Paulo, um grupo de professores universitários de diversas áreas do conhecimento se reuniu em uma audiência pública relativa às ocupações com o objetivo de disponibilizar o conhecimento de que dispunham para apoiar a Ação Civil Pública contrária à reorganização. Ali teve início a Rede Escola Pública e Universidade (REPU).

Desde a sua criação, a REPU tem produzido pesquisas para qualificar, ampliar e incidir no debate educacional junto aos sujeitos escolares, os movimentos sociais, a mídia, o sistema de justiça e os governos, articulando as discussões da política educacional em São Paulo aos debates nacionais. Consideramos que os conhecimentos produzidos nas universidades devem estar integrados e em diálogo com a sociedade: sua produção e difusão devem estar disponíveis para as lutas educacionais concretas.

Com reuniões mensais abertas e alguns encontros e seminários, estabelecemos uma dinâmica em que a agenda de investigações é coletivamente construída e disparada pelo cotidiano da política educacional, por questões muitas vezes intuídas pelos sujeitos escolares – diretores, professores, sindicatos, estudantes, movimentos sociais – a partir de suas próprias práticas. Não nos consideramos pesquisadores de um movimento específico, mas as demandas dos sujeitos escolares – que também participam da Rede – nos instigam a seguir determinadas pistas e a construir hipóteses partilhadas. Mobilizado o aparato acadêmico, ele também nos leva, seguindo o caminho inverso, a propor pautas junto aos movimentos e sujeitos escolares. Partindo da ideia de que os próprios movimentos produzem conhecimentos na ação social e política, qual seria o papel do conhecimento científico sistematizado nessa intersecção?

Três exemplos

1. Inquietos com os argumentos da SEE-SP em favor da reorganização escolar e informados do fechamento repentino de classes na rede estadual, sobretudo no período noturno, analisamos os dados de matrícula da rede na transição do ano letivo 2015-2016. Em um tempo pouco usual para pesquisas acadêmicas, consolidamos um estudo[2] que identificou a existência de uma

---

[2] Rede Escola Pública e Universidade, *Nota técnica*: análise da resposta da Secretaria da Educação do Estado de São Paulo à Ação Civil Pública (ACP) movida pelo Ministério Público do Estado de São Paulo e Defensoria Pública do Estado de São Paulo, processo n. 1049683-05.2015.8.26.0053 (São Paulo, REPU, jun. 2016); disponível em: <https://redepesquisa.milharal.org/files/2016/09/nota.tecnica.-reorganizacao.2016.pdf>.

196 | Educação contra a barbárie

reorganização velada no final do ano letivo de 2015, com o fechamento seletivo de turmas e períodos e o aumento do número de alunos por sala de aula, em clara violação do compromisso de interromper a reorganização assumido pelo governo junto à justiça estadual. Por meio de coletiva de imprensa, a REPU divulgou os resultados da pesquisa repercutidos na mídia nacional. O governo estadual classificou os dados como absurdos, sem, no entanto, contrapor os achados da pesquisa.

2. Os primeiros resultados de uma pesquisa da REPU sobre o Programa Ensino Integral (PEI) no estado de São Paulo dava mostras enfáticas de que tal política gerava desigualdades socioespaciais e educacionais na rede de ensino. Diferentemente da proposta de reorganização, não havia na rede um amplo movimento questionando a implantação das escolas integrais, apenas os relatos de professores e diretores de que a implantação dessas escolas era sempre acompanhada por um processo de expulsão escolar. Considerando a dificuldade de fazer os resultados das pesquisas chegarem aos sujeitos das escolas, foi elaborada uma cartilha ilustrativa, demonstrando a criação de desigualdades educacionais na rede estadual por parte do próprio governo. Amplamente distribuída nos círculos próximos à REPU, a cartilha não gerou uma reação imediata no espaço escolar. No entanto, à medida em que as escolas eram procuradas pelas diretorias de ensino para se tornarem escolas integrais, a REPU passou a ser convidada pelas comunidades escolares. O estudo passou a ser utilizado para uma tomada de decisão mais qualificada sobre aderir ou não ao PEI. Foi possível, inclusive, replicar a metodologia de análise em áreas não cobertas pelo estudo original[3].

3. No final de 2017, começamos a acompanhar a implantação de um Contrato de Impacto Social (CIS) na rede estadual, modalidade de parceria público-privada inédita no Brasil cujo "piloto" seria executado no ensino médio das escolas paulistas[4]. A proposta intentava diminuir a evasão no ensino médio transformando os(as) estudantes da rede estadual em cobaias de experimentos sociais vinculados a atividades lucrativas, sem qualquer consentimento das escolas ou das famílias. Fomos informados de que diversos

---

[3]   Eduardo Donizeti Girotto e Fernando L. Cássio, "A desigualdade é a meta: implicações socioespaciais do Programa Ensino Integral na cidade de São Paulo", *Arquivos Analíticos de Políticas Educativas*, v. 26, n. 109, 2018; disponível online.

[4]   Fernando L. Cássio, Débora C. Goulart e Salomão B. Ximenes, "Contratos de Impacto Social na rede estadual de São Paulo: Nova modalidade de parceria público-privada no Brasil", *Arquivos Analíticos de Políticas Educativas*, v. 26, n. 130, 2018.

conselhos de escola haviam aprovado a implantação do CIS sem ter qualquer conhecimento da complexa engenharia financeira envolvida no projeto. As escolas estavam sendo induzidas a erro pelo próprio governo do estado, que perfidamente manteve a minuta do CIS em processo de "consulta pública", ao mesmo tempo em que o documento supostamente "em construção" fora subscrito por quase duzentas escolas selecionadas dentre as mais vulneráveis da Grande São Paulo. Obtido o processo administrativo referente ao projeto (via Lei de Acesso à Informação)[5], foi elaborada uma cartilha que circulou nas subsedes do Sindicato dos Professores do Ensino Oficial do Estado de São Paulo (Apeoesp) das regiões envolvidas na implantação. Também produzimos um artigo de opinião sobre o assunto[6], mas sua difusão se deu concomitantemente à divulgação da cartilha nos espaços diretamente interessados, o que estimulou inúmeros conselhos de escola a revogarem a decisão anterior de participar do CIS. Com a aproximação do período eleitoral de 2018, e a possiblidade de desgastes políticos para o governador presidenciável Geraldo Alckmin, o governo paulista suspendeu a implantação do projeto. Uma vitória provisória, mas evidente. Produção de conhecimento *para*, *com* e *nas* lutas educacionais.

Educação ou barbárie!

Reconhecemos que as ações da REPU não trazem propriamente ineditismo, mas se vinculam a uma tradição de produção do conhecimento fortemente implicado nas lutas sociais. Nosso questionamento básico é: como diminuir as fronteiras entre sujeitos escolares, movimentos educacionais e pesquisadores(as) na realização de estudos que colaborem para as lutas por uma educação pública, laica, de qualidade e socialmente referenciada, mas sem abrir mão do rigor teórico e metodológico que deve pautar a produção do conhecimento educacional? A resposta não está dada.

---

[5]   Todo contrato público-privado deve estar associado a um processo administrativo público, que inclui minutas de contratos, certidões negativas, pareceres jurídicos, cronogramas de trabalho e uma série de outras informações que são rigorosamente públicas. Tais processos constituem excelentes fontes primárias para a pesquisa em políticas educacionais e, evidentemente, para denunciar variados tipos de abusos.

[6]   Salomão Ximenes, Fernando Cássio, Silvio Carneiro e Theresa Adrião, "Políticos e banqueiros forjam 'experimento social'", *Carta Educação*, 29 nov. 2017; disponível em: <http://www.cartaeducacao.com.br/artigo/politicos-e-banqueiros-forjam-experimento-social-com-estudantes-da-rede-publica-de-sao-paulo>.

198 | Educação contra a barbárie

A dinâmica das lutas nos orienta a pensar e a agir coletivamente, refletindo sobre as nossas (limit)ações a partir de dúvidas honestas e de incertezas candentes. Muitas vezes é mais fácil definir aquilo que somos pelo contraste com aquilo que não somos. Refutamos toda tentativa de colonizar os espaços de saber e a insistência no conhecimento educacional pragmático, unidimensional e falsamente dialógico. Recentemente foi criada uma Cátedra de Educação Básica no Instituto de Estudos Avançados da USP patrocinada pela Fundação Itaú Social. Anulando a experiência do cotidiano das escolas e toda uma história de contribuição de um dos maiores centros de pesquisa em educação do Brasil, a Faculdade de Educação da USP, a cátedra se propõe a recomendar soluções de curto prazo, afirmando que a questão central da educação brasileira é a ausência de projeto[7]. A visão embutida nessa afirmação é, claramente, a de um *outro* projeto, que não se reconhece nas escolas por prescindir delas e de seus sujeitos. Eis aquilo que não somos.

Negar a conflituosidade como elemento central da educação não fará os conflitos desaparecerem. Das fileiras escolares precarizadas, com baixo investimento e desvalorização do trabalho docente sempre emergem ações e resistências de quem se põe a desenhar novas possibilidades, fecundas e explosivas. São imensuráveis as distâncias entre a velha receita de sucesso de uma cátedra universitária-mercantil e as potencialidades das insurreições estudantis, da autoestima das meninas de luta, da pedagogia das ocupações e de seus infinitos desdobramentos. A REPU nasceu das ocupações e delas se alimenta. Na luta contra a barbárie na educação, já sabemos de que lado queremos estar.

---

[7] Mauro Bellesa, "IEA e Itaú Social lançam Cátedra de Educação Básica", *Instituto de Estudos Avançados da USP*, 22 fev. 2019; disponível em: <http://www.iea.usp.br/noticias/lancamento-catedra-de-educacao-basica>.

Educação democrática[1]
bell hooks

Professores que têm uma visão de educação democrática admitem que o aprendizado nunca está confinado a uma sala de aula institucionalizada. Em vez de reforçar a falsa presunção convencional de que o ambiente da universidade não é o "mundo real" e ensinar de acordo com isso, o educador democrático rompe com a falsa construção da universidade corporativa como separada da vida real e sempre procura visualizar a formação como uma parte de nossa experiência do mundo real e da nossa vida real. Adotando o conceito de educação democrática, vemos ensino e aprendizado ocorrendo constantemente. Compartilhamos o conhecimento recolhido nas salas de aula fora desses espaços, trabalhando assim para questionar a construção de que certas formas de conhecimento estão sempre, e apenas, disponíveis à elite.

Quando, como professores, apoiamos a educação democrática, automaticamente apoiamos a universalização da alfabetização. Garantir a

---

[1] Originalmente publicado como "Democratic Education", em bell hooks, *Teaching Community*: A Pedagogy of Hope (Nova York/Londres, Routledge, 2003), p. 41-9. Tradução: Pedro Davoglio. Revisão técnica: Fernando Cássio.

alfabetização é a ligação vital entre os ambientes do sistema público de ensino e da universidade. A escola pública é a formação exigida para todos, que tem a tarefa de ensinar os estudantes a ler e escrever e, esperançosamente, a se engajar em alguma forma de pensamento crítico. Todos aqueles que sabem ler e escrever dispõem das ferramentas necessárias para acessar aprendizados superiores, mesmo que esses aprendizados não ocorram em um ambiente universitário. Nosso governo obriga a frequência à escola pública, mantendo assim uma política pública de apoio à educação democrática. Mas a política do elitismo de classe assegura que, muitas vezes, os preconceitos no modo como o conhecimento é lecionado ensine os estudantes nas escolas públicas que eles só serão considerados aprendizes sofisticados se frequentarem uma faculdade. Isso significa que muitos estudantes interrompem a prática do aprendizado porque sentem que aprender não é mais relevante para as suas vidas, uma vez que, a menos que planejem ir à faculdade, já se formaram no ensino médio. Amiúde na escola pública, eles aprenderam tanto que a faculdade não é o mundo "real", quanto que o aprendizado livresco lá oferecido não tem relevância para além dos muros da universidade. Mesmo que todo o conhecimento vindo dos livros nas faculdades seja acessível a qualquer leitor/pensador que frequente ou não as aulas, divisões de classe firmemente construídas mantêm a maioria das pessoas formadas no ensino médio e que não estão matriculadas no ensino superior bem longe de experiências de formação continuada. Até os estudantes universitários que se formam deixam os bancos das faculdades para entrar no mundo do trabalho e tendem a parar de estudar, baseando suas ações na falsa suposição de que aprender nos livros tem pouca relevância em suas novas vidas como trabalhadores. É surpreendente como muitas pessoas com ensino superior completo nunca voltam a ler um livro depois de formados. E se leem, elas não mais estudam.

Para criar um espírito de estudar para aprender que se desenvolva tanto na sala de aula quanto fora dela, o aprendizado precisa ser entendido como uma experiência que enriquece a vida em sua integridade. Citando *O Único e Eterno Rei*, de T. H. White, Parker Palmer celebra a sabedoria que Merlin, o mago, oferece quando declara:

> A melhor coisa para se fazer quando se está triste é aprender alguma coisa. Essa é a única coisa que nunca falha... Aprender por que o mundo gira e o que o faz girar. Essa é a única coisa da qual a mente não pode jamais se cansar, nem se alienar, nem se torturar, nem temer ou descrer, e nunca sonhar em se arrepender. O que você precisa é aprender.

A essa declaração, Parker adiciona sua própria compreensão vital de que

a educação em seu melhor – essa profunda transação humana chamada ensino e aprendizagem – não é só sobre conseguir informações ou conseguir um emprego. Educação é sobre cura e integridade. É sobre empoderamento, libertação, transcendência, sobre renovar a vitalidade da vida. É sobre encontrar e reivindicar a nós mesmos e nosso lugar no mundo.[2]

Uma vez que o nosso lugar no mundo está sempre mudando, precisamos aprender constantemente para estarmos totalmente presentes no agora. Se não estamos completamente engajados no presente, ficamos presos no passado e a nossa capacidade de aprender é diminuída.

Educadores que se desafiam a ensinar para além do espaço da sala de aula, a se mover no mundo compartilhando conhecimento, aprendem uma diversidade de estilos de passar as informações adiante. Essa é uma das habilidades mais valiosas que um professor pode adquirir. Por meio da prática vigilante, aprendemos a usar a linguagem que pode falar ao coração da matéria em qualquer espaço de ensino em que nos encontremos. Quando nós, professores universitários e educadores democráticos, compartilhamos conhecimentos fora da sala de aula, o trabalho feito dissipa a noção de que não estamos em contato com o mundo externo aos salões sagrados da academia. Abrimos o espaço de aprendizagem de modo que ele possa ser mais inclusivo, e nos questionamos constantemente para fortalecer nossas habilidades de ensinar. Essas práticas progressistas são vitais para manter a educação democrática, dentro e fora das salas de aula.

Práticas autoritárias, promovidas e encorajadas por muitas instituições, minam a educação democrática na sala de aula. Ao atacar a educação como prática da liberdade, o autoritarismo na sala de aula desumaniza e, por isso, destrói a "magia" que está sempre presente quando os indivíduos são aprendizes ativos. Ele "tira toda a graça" do estudo, tornando-o repressivo e opressivo. Professores autoritários investem frequentemente na noção de que eles são simplesmente "sérios", ao passo que os educadores democráticos são comumente estereotipados por suas contrapartes mais conservadoras como não tão rigorosos ou como carentes de padrão. Esse é especialmente o caso quando o educador democrático tenta criar um espírito de alegria em sua prática de sala de aula. Em *À sombra desta mangueira*, Paulo Freire defende

---

[2] Ver Parker J. Palmer, "The Grace of Great Things: Reclaiming the Sacred in Knowing, Teaching, and Learning", em Steven Glazer (ed.), *The Heart of Learning*: Spirituality in Education (Nova York, TarcherPerigee, 1999), p. 15-31.

202 | Educação contra a barbárie

que os educadores democráticos devem fazer de tudo "em favor da criação de um clima na sala de aula em que ensinar, aprender, estudar são atos sérios, demandantes, mas também provocadores de alegria"[3]. Explicando, em seguida, declara:

> Só para a mente autoritária é que o ato de ensinar, de aprender, de estudar são tarefas enfadonhas, mas necessárias. Para educadores e educadoras democráticos o ato de ensinar, de aprender, de estudar são *que fazeres* exigentes, sérios, que não apenas provocam contentamento, mas que já são, em si, alegres.
>
> A satisfação com que se põe em face aos alunos, a segurança com que lhes fala, a abertura com que os ouve, a justiça com que lida com seus problemas fazem do educador democrata um modelo. Sua autoridade se afirma sem desrespeitar as liberdades. [...] E é porque respeita as liberdades que o respeitam.[4]

O próprio modo de ser dos educadores democráticos demonstra que eles não exibem aquela clivagem psicológica socialmente aceitável de alguém que ensina somente na sala de aula e depois age como se o conhecimento não fosse significativo em outros ambientes. Quando se ensina os estudantes a agir assim, eles podem experienciar o aprendizado como um processo integral, em vez de uma prática restritiva que os desconecta e os aliena do mundo.

A conversa é o lugar central da pedagogia para o educador democrático. Falar para compartilhar informações, para trocar ideias, é a prática que, dentro e fora dos espaços acadêmicos, afirma aos ouvintes que o aprendizado pode se dar em quadros de tempo variados (podemos compartilhar e aprender muito em cinco minutos) e que o conhecimento pode ser compartilhado em diversos modos de discurso. Considerando que o discurso vernacular raramente pode ser usado na sala de aula pelos professores, ele pode ser um modo preferencial de compartilhar conhecimento em outros ambientes. Quando espaços educacionais se tornam locais cujo objetivo central é ensinar boas-maneiras burguesas, esse tipo de discurso e as linguagens que divergem da norma culta do idioma não são valorizados. Na verdade, são descaradamente desvalorizados. Embora reconheça o valor da norma culta da língua,

---

[3] Os trechos de Paulo Freire citados por hooks vêm de *Pedagogy of the Heart* (New York, Continuum, 2000). Preferimos não retraduzi-los, utilizando em vez disso a edição brasileira do livro. Ver Paulo Freire, *À sombra desta mangueira*, 11. ed. (São Paulo, Paz e Terra, 2013), p. 125. (N. R. T.)

[4] Paulo Freire, *À sombra desta mangueira* (São Paulo, Paz e Terra, 2015), p. 125-6.

o educador democrático também sabe dar importância à diversidade na linguagem. Estudantes que falam na norma culta, mas para os quais o idioma falado em sala de aula é a segunda língua, são fortalecidos em sua autoestima bilíngue quando sua primeira língua é ali validada[5]. Essa valorização pode ocorrer quando os professores incorporam práticas de ensino que honram a diversidade, resistindo assim à tendência convencional de manter os valores do dominador na educação superior.

É certo que, como educadores democráticos, temos que trabalhar para encontrar formas de ensinar e compartilhar conhecimento de maneira a não reforçar as estruturas de dominação existentes (hierarquias de raça, gênero, classe e religião). A diversidade em discursos e presencial pode ser apreciada integralmente como um recurso que aprimora qualquer experiência de aprendizagem. Nos últimos anos, todos temos sido desafiados enquanto educadores a examinar os modos pelos quais apoiamos, consciente ou inconscientemente, as estruturas de dominação existentes. E todos também temos sido encorajados por educadores democráticos a estarmos mais atentos, a fazermos escolhas mais conscientes. Podemos inadvertidamente conspirar com as estruturas de dominação por causa do modo como o aprendizado está organizado em instituições. Ou podemos reunir materiais didáticos que não sejam preconceituosos e ainda assim apresentá-los de forma tendenciosa, reforçando as hierarquias opressivas existentes.

Sem a ação dos movimentos por justiça social, a educação progressista torna-se ainda mais importante, já que ela pode ser o único lugar onde as pessoas podem encontrar apoio para adquirir uma consciência crítica, para assumir qualquer compromisso com o fim da dominação. Os dois movimentos por justiça social com impactos mais transformadores em nossa vida cultural têm sido a luta antirracista e o movimento feminista. Compreendendo que o ativismo frequentemente diminui, à medida que os direitos civis vão sendo conquistados, esses dois movimentos trabalharam para criar lugares de estudo acadêmico de modo que uma abordagem sem preconceitos à escolarização e ao aprendizado não seja apenas legitimada nos ambientes universitário e escolar, mas também aja como um catalisador para transformar cada disciplina acadêmica. O aprendizado serviria então para educar os estudantes para a prática da liberdade em vez da manutenção das estruturas de dominação.

---

[5]   Aqui a autora se refere ao fato de que muitas vezes as línguas nativas de estudantes imigrantes são desvalorizadas em favor do *standard English*, sua segunda língua. (N. R. T.)

Todo estudo progressista sobre raça e gênero produzido nas universidades teve um impacto significativo para muito além do meio acadêmico. Educadores democráticos que advogaram pelo fim das formas preconceituosas de ensinar ajudaram a colmatar o fosso entre o mundo acadêmico e o chamado mundo "real". Bem antes de acadêmicos progressistas se interessarem por raça ou gênero e diversidade ou multiculturalismo, grandes empresas reconheceram a necessidade de ensinar trabalhadores – particularmente os que fechavam negócios, cuja tarefa era criar novos mercados ao redor do mundo – sobre diferença, sobre outras culturas. É claro que o fundamento dessa abordagem não era ensinar como dar fim à dominação, mas sim promover os interesses do mercado. No entanto, conservadores e liberais, de forma semelhante, reconheceram claramente a necessidade de ensinar aos estudantes desta nação perspectivas que incluíssem o reconhecimento de diferentes formas de conhecimento. No despertar dessa mudança, gerada pelas preocupações capitalistas de manter o poder em um mercado global, defensores do antirracismo e do antissexismo foram bem-sucedidos no lobby para questionar os modos como noções imperialistas de supremacia branca ou nacionalismo produziram vieses nos materiais didáticos e nos estilos e estratégias de ensino dos educadores.

O discurso acadêmico, tanto escrito quanto falado, sobre raça e racismo, sobre gênero e feminismo, significou uma grande intervenção, ligando as lutas por justiça fora da academia a modos de conhecimento no interior dela. Isso foi revolucionário. Instituições educacionais que eram fundadas em princípios de exclusão – a suposição de que os valores que encorajam e mantêm o patriarcado capitalista supremacista branco imperialista eram verdadeiros – começaram a considerar a realidade dos preconceitos e a discutir o valor da inclusão. Muitos apoiavam a inclusão apenas quando os modos de conhecer diversos eram ensinados como subordinados e inferiores aos modos de conhecer superiores informados pelo dualismo metafísico ocidental e pela cultura do dominador. Para contrariar essa abordagem distorcida da inclusão e da diversidade, educadores democráticos têm sublinhado o valor do pluralismo. No ensaio "Compromisso e abertura: uma abordagem contemplativa ao pluralismo", Judith Simmer-Brown explica:

> [...] pluralismo não é diversidade. Diversidade é um fato da vida moderna – especialmente nos Estados Unidos. Há tremendas diferenças em nossas comunidades – étnicas, raciais, religiosas. A diversidade sugere o fato dessas diferenças. Pluralismo, por outro lado, é uma resposta ao fato da diversidade. No pluralismo, nos comprometemos a nos engajarmos com a outra pessoa ou

a outra comunidade. O pluralismo é um compromisso de se comunicar com e em relação a um mundo maior – com uma vizinhança muito diferente ou uma comunidade distante.[6]

Muitos educadores abraçam a noção de diversidade enquanto resistem ao pluralismo ou a qualquer outro modo de pensar que sugira que eles não podem mais encorajar a cultura do dominador.

As ações afirmativas visavam criar maior diversidade, e elas foram, ao menos em tese, uma prática positiva de reparação, dando acesso a grupos que nunca tiveram acesso à educação e outros direitos por causa da opressão. Apesar de suas muitas fraquezas, as ações afirmativas foram bem-sucedidas em romper barreiras à inclusão racial e de gênero, beneficiando especialmente as mulheres brancas. À medida que nossas escolas se tornaram mais diversas, professores passaram a ser profundamente questionados. Velhas ideias sobre estudar o trabalho de outras pessoas a fim de encontrar nossas próprias teorias e defendê-las foram e estão sendo constantemente desafiadas. Simmer-Brown oferece a percepção útil de que esse modo de aprender não nos permite abraçar a ambiguidade e a incerteza. Ela argumenta:

> Como educadores, uma das melhores coisas que podemos fazer por nossos estudantes é não os forçar a adotar teorias e conceitos sólidos, mas em vez disso encorajar o próprio processo, a investigação envolvida e os momentos de não saber – com todas incertezas que vêm com isso. É aqui que nosso apoio pode ir fundo. Isso é abertura.[7]

Quando trabalhava com professores em uma faculdade de artes para ajudá-los a desaprender os modelos de educação do dominador, ouvi homens brancos verbalizarem seus sentimentos de medo e incerteza sobre abandonar modelos conhecidos. Os homens queriam aceitar o desafio da transformação, mas sentiam medo, porque eles simplesmente não sabiam qual seria a fonte de seu poder se não mais se apoiassem em uma noção de autoridade racializada e com corte de gênero para manter o próprio status. A honestidade deles nos ajudou a imaginar e articular quais poderiam ser os resultados positivos de uma abordagem pluralista.

Um dos saldos mais importantes é um compromisso com a "abertura radical", o desejo de explorar diferentes perspectivas e mudar a visão das

---

[6] Judith Simmer-Brown, "Commitment and Openness: A Contemplative Approach to Pluralism", em Steven Glazer (ed.), *The Heart of Learning*: Spirituality in Education (Nova York, TarcherPerigee, 1999), p. 97-112.

[7] Idem.

206 | Educação contra a barbárie

pessoas à medida que novas informações são apresentadas. Ao longo de minha carreira como educadora democrática conheci muitos estudantes brilhantes que buscavam educação, que sonhavam em servir à causa da liberdade, e que desanimavam ou se frustravam porque as faculdades e universidades são estruturadas de forma que desumanizam, que os levam para longe do espírito de comunidade no qual eles desejam viver. Na maioria dos casos, esses estudantes, especialmente aqueles talentosos não-brancos com diversas trajetórias de classe, perdem as esperanças. Eles vão mal em seus estudos. Eles assumem o manto da vitimização. Eles fracassam. Eles abandonam. A maioria deles não têm guias para ensiná-los a encontrar seu caminho em sistemas educacionais que, embora estruturados para manter a dominação, não são sistemas fechados e, por isso, têm no seu interior subculturas de resistência em que a educação como prática da liberdade ainda acontece. Contudo, muitos desses estudantes talentosos acabam jamais encontrando essas subculturas nem os educadores democráticos que poderiam ajudá-los a achar seu caminho. Eles perdem a esperança.

Por mais de trinta anos, tenho testemunhado estudantes que não querem ser educados para serem opressores chegarem perto de se formar – e então se autossabotarem. São os que largam a escola faltando apenas um semestre ou uma disciplina. Às vezes são estudantes de graduação brilhantes, que simplesmente não escrevem seus trabalhos de conclusão de curso. Com medo de não serem capazes de manter a fé, de se tornarem educadores democráticos; temendo entrar no sistema e *se converterem* nele, eles vão embora. A educação competitiva raramente funciona para estudantes que foram socializados para valorizar o trabalho para o bem da comunidade. Isso os rasga ao meio, despedaça-os. Eles experimentam graus de desconexão e de fragmentação que destroem todo o prazer do aprendizado. E são justamente os estudantes que mais precisam ser influenciados pela orientação de educadores democráticos.

Forjando uma comunidade de aprendizagem que valoriza a integridade em relação à divisão, à dissociação e à separação, o educador democrático trabalha para criar fechamento. Palmer chama isso de "intimidade que não aniquila a diferença"[8]. Como uma estudante que chegou à graduação e à pós-graduação graças aos movimentos radicais por justiça social que abriram um espaço até então fechado, aprendi a me agarrar a comunidades, criando ligações em função de experiências de raça, gênero, classe e religiosidade para

---

[8] Ver Parker J. Palmer, *The Courage to Teach*: Exploring the Inner Landscape of a Teacher's Life (São Francisco, EUA, Jossey-Bass, 1998).

salvar e proteger a parte de mim que queria ficar em um mundo acadêmico, que queria escolher uma vida intelectual. Forjei ligações com indivíduos que, como eu, valorizavam o aprendizado como um fim em si mesmo e não como um meio para atingir outro fim, mobilidade de classe, poder, status. Éramos aqueles que sabiam que, estando ou não no ambiente acadêmico, continuaríamos a estudar, a aprender, a educar.

Sugestões de leitura

Apresentação

AÇÃO EDUCATIVA (org.). *A ideologia do movimento Escola sem Partido*: 20 autores desmontam o discurso. São Paulo, Ação Educativa, 2016; disponível em: <http://acaoeducativa.org.br/wp-content/uploads/2017/05/escolasempartido_miolo.pdf>.

AÇÃO EDUCATIVA; REDE ESCOLA PÚBLICA E UNIVERSIDADE E OUTROS. *Manual de defesa contra a censura nas escolas*. São Paulo, Ação Educativa, 2018; disponível em: <http://www.manualdedefesadasescolas.org/manualdedefesa.pdf>.

ADORNO, Theodor W. *Educação e emancipação*. 4. ed. São Paulo, Paz e Terra, 2006.

CÁSSIO, Fernando; CATELLI JR., Roberto (org.). *Educação é a Base?* 23 educadores discutem a BNCC. São Paulo, Ação Educativa, 2019.

CUNHA, Luiz Antônio. *O projeto reacionário de educação*. Rio de Janeiro, Edição do autor, 2016. Disponível em: <http://luizantoniocunha.pro.br/uploads/independente/ProjReacEd_livro.pdf>.

HUFF, Darrell. *Como mentir com estatística*. Rio de Janeiro, Intrínseca, 2016 [1954].

MIGUEL, Luis Felipe. "Da 'doutrinação marxista' à 'ideologia de gênero': Escola sem Partido e as leis da mordaça no parlamento brasileiro". *Direito & Práxis*, Rio de Janeiro, v. 7, n. 15, p. 590-621, 2016. Disponível em: <www.e-publicacoes.uerj.br/index.php/revistaceaju/article/download/25163/18213>.

MOURA, Fernanda; SALLES, Diogo da Costa. "O Escola sem Partido e o ódio aos professores que formam crianças (des)viadas". *Periódicus: Revista de Estudos Interdisciplinares em Gêneros e Sexualidades*, Salvador, v. 1, n. 9, p. 136-60, 2018. Disponível em: <https://portalseer.ufba.br/index.php/revistaperiodicus/article/view/25742/16110>.

PENNA, Fernando. "O discurso reacionário de defesa de uma 'escola sem partido'". In: SOLANO GALLEGO, Esther (org.). *O ódio como política*: a reinvenção das direitas no Brasil. São Paulo, Boitempo, 2018. p. 109-13. (Coleção Tinta Vermelha)

Parte I

Daniel Cara

CAMPANHA NACIONAL PELO DIREITO À EDUCAÇÃO. *O CAQi e o CAQ no PNE*: quanto custa a educação pública de qualidade no Brasil? São Paulo, Campanha Nacional pelo Direito à Educação, 2018; disponível em: <http://www.custoalunoqualidade.org.br/pdf/quanto-custa-a-educacao-publica-de-qualidade-no-brasil.pdf>.

FREIRE, Paulo. *Pedagogia do oprimido*. Rio de Janeiro, Paz e Terra, 1987.

PARO, Vitor Henrique. *Educação como exercício de poder*: crítica ao senso comum em educação. São Paulo, Cortez, 2010.

RAVITCH, Diane. *Vida e morte do grande sistema escolar americano*: como os testes padronizados e o modelo de mercado ameaçam a educação. Porto Alegre, Sulina, 2011.

TODOROV, Tzvetan. *Os inimigos íntimos da democracia*. São Paulo, Companhia das Letras, 2012.

Carolina Catini

ADORNO, Theodor W. *Educação e emancipação*. Rio de Janeiro, Paz e Terra, 2000.

ARANTES, Paulo. *O novo tempo do mundo*. São Paulo, Boitempo, 2014. (Coleção Estado de Sítio)

BERNARDO, João. *Labirintos do Fascismo*: na encruzilhada da ordem e da revolta. 3. ed. rev. e aumentada. Lisboa, Edição do autor, 2018; disponível em: <goo.gl/6Dx5Sk>.

VIANA, Silvia. *Rituais de sofrimento*. São Paulo, Boitempo, 2013. (Coleção Estado de Sítio)

Silvio Carneiro

BIESTA, Gert. *Para além da aprendizagem*: educação democrática para um futuro humano. Belo Horizonte, Autêntica, 2013.

LAJONQUIÈRE, Leandro de. "A palavra e as condições da educação escolar". *Educação & Realidade*, Porto Alegre, v. 38, n. 2, 2013, p. 455-69.

LARROSA, Jorge (org.). *Elogio da escola*. Belo Horizonte, Autêntica, 2017.

LARROSA, Jorge; RECHIA, Karen. *P de professor*. São Carlos/SP, Pedro e João Editores, 2018.

LIMA, Licínio C. *Aprender para ganhar, conhecer para competir*: sobre a subordinação da educação na "sociedade da aprendizagem". São Paulo, Cortez, 2012. (Questões da nossa época, v. 41)

MASSCHELEIN, Jan; SIMONS, Maarten. *Em defesa da escola*: uma questão pública. Belo Horizonte, Autêntica, 2017.

Catarina de Almeida Santos

ROCHA, João Augusto de Lima (org.). *Anísio em movimento*: a vida e as lutas de Anísio Teixeira pela escola pública e pela cultura no Brasil (Brasília, Senado Federal / Conselho Editorial, 2002); disponível em: <http://www2.senado.leg.br/bdsf/bitstream/handle/id/1060/619664.pdf>.

José Marcelino de Rezende Pinto

BROOKE, Nigel; SOARES, José Francisco (org.). *Pesquisa em eficácia escolar*: origem e trajetórias. Belo Horizonte, Editora UFMG, 2008.

CARREIRA, Denise; PINTO, José Marcelino de Rezende. *Custo Aluno-Qualidade inicial*: rumo à educação pública de qualidade no Brasil. São Paulo, Global / Campanha Nacional pelo Direito à Educação, 2007.

HELENE, Otaviano. *Um diagnóstico da educação brasileira e de seu financiamento*. Campinas/SP, Autores Associados, 2013.

212 | Educação contra a barbárie

PINTO, José Marcelino Rezende. "Dinheiro traz felicidade? A relação entre insumos e qualidade na educação". *Arquivos Analíticos de Políticas Educativas*, v. 22, n. 19, 2014; disponível em: <https://epaa.asu.edu/ojs/article/view/1378/1223>.

RAVITCH, Diane. *Vida e morte do grande sistema escolar americano*: como os testes padronizados e o modelo de mercado ameaçam a educação. Porto Alegre, Sulina, 2011.

Vera Lúcia Jacob Chaves

BASTOS, Pedro Paulo Zahluth. "Financeirização, crise, educação: considerações preliminares". *Texto para Discussão IE/Unicamp*, Campinas/SP, n. 217, 2013.

CHAVES, Vera Lúcia Jacob; AMARAL, Nelson Cardoso do. "A educação superior no Brasil: os desafios da expansão e do financiamento e comparações com outros países". *Educação em Questão*, Natal, v. 51, n. 37, 2015, p. 95-120.

MALVESSI, Oscar. "Análise econômico-financeira de empresas do setor da educação". In: MARINGONI, Gilberto (org.). *O negócio da educação*: a aventura das universidades privadas na terra do capitalismo sem risco. São Paulo, Olho d'Água / Fepesp, 2017. p. 75-104.

Marina Avelar

BALL, Stephen; OLMEDO, Antonio. "A nova filantropia, o capitalismo social e as redes de políticas globais em educação". In: PERONI, Vera Maria Vidal (org.). *Redefinições das fronteiras entre o público e o privado*: implicações para a democratização da educação. Brasília, Liber Livro, 2013. p. 33-47.

MARTINS, Erika Moreira. *Todos pela educação?* Como os empresários estão determinando a política educacional brasileira. Rio de Janeiro, Lamparina, 2016.

Parte II

Bianca Correa

CAMPANHA LATINO-AMERICANA PELO DIREITO À EDUCAÇÃO (Clade). *Educação na primeira infância*: um campo em disputa [documento de trabalho e debate]. São Paulo, Clade, 2011.

Isabel Cristina Alves da Silva Frade

FRADE, Isabel Cristina Alves da Silva. *Métodos e didáticas de alfabetização*: história, características e modos de fazer de professores. Belo Horizonte, MEC/Ceale, 2005.

MORTATTI, Maria do Rosário. *Os sentidos da alfabetização*: São Paulo, 1876/1994. São Paulo, Editora Unesp, 2000.

SOARES, Magda. *Letramento*: um tema em três gêneros. Belo Horizonte, Autêntica, 2000.

SOARES, Magda. *Alfabetização*: a questão dos métodos. São Paulo, Contexto, 2016.

Rudá Ricci

ADRIÃO, Theresa; GARCIA, Teise; BORGHI, Raquel Fontes; BERTAGNA, Regiane Helena; PAIVA, Guastavo; XIMENES, Salomão. *Sistemas de ensino privados na educação pública brasileira*: consequências da mercantilização para o diteito à educação. São Paulo, Greppe / Ação Educativa, 2015; disponível em: <http://acaoeducativa.org.br/wp-content/uploads/2016/10/sistemas_privados_pt.pdf>.

Maria Caramez Carlotto

"Intelectuais, cultura e política" [Dossiê]. *Política & Sociedade*, Florianópolis, v. 17, n. 39, 2018.

ROQUE, Tatiana. "Intelectuais de internet chegam ao poder: a luta de classes do saber". *Le Monde Diplomatique*, n. 138, 6 fev. 2019; disponível em: <https://diplomatique.org.br/intelectuais-de-internet-chegam-ao-poder-a-luta-de-classes-do-saber-2>.

"Um espectro ronda o Brasil (à direita)" [Dossiê]. *Revista Plural*, São Paulo, v. 25, n. 1, 2018.

Alexandre Linares e José Eudes Baima Bezerra

AÇÃO EDUCATIVA (org.). *A ideologia do movimento Escola sem Partido*: 20 autores desmontam o discurso. São Paulo, Ação Educativa, 2016; disponível em: <acaoeducativa.org.br/wp-content/uploads/2017/05/escolasempartido_miolo.pdf>.

214 | Educação contra a barbárie

CONDORCET [Marie Jean Antoine Nicolas de Caritat]. *Cinco memórias sobre a instrução pública*. São Paulo, Editora Unesp, 2008.

Rogério Diniz Junqueira

AÇÃO EDUCATIVA (org.). *A Ideologia do movimento Escola sem Partido*: 20 autores desmontam o discurso. São Paulo, Ação Educativa, 2016; disponível em: <http://acaoeducativa.org.br/wp-content/uploads/2017/05/escolasempartido_miolo.pdf>.

AÇÃO EDUCATIVA; REDE ESCOLA PÚBLICA E UNIVERSIDADE E OUTROS. *Manual de defesa contra a censura nas escolas*. São Paulo, Ação Educativa, 2018; disponível em: <http://www.manualdedefesadasescolas.org/manualdedefesa.pdf>.

JUNQUEIRA, Rogério Diniz. "A invenção da 'ideologia de gênero': a emergência de um cenário político-discursivo e a elaboração de uma retórica reacionária antigênero". *Psicologia Política*, São Paulo, v. 18, n. 43, p. 449-502, 2018.

PENNA, Fernando. "Programa 'Escola sem Partido': uma ameaça à educação emancipadora". In: GABRIEL, Carmen; MONTEIRO, Ana; MARTINS, Marcus (org.). *Narrativas do Rio de Janeiro nas aulas de história*. Rio de Janeiro, Mauad X, 2016.

ROSADO-NUNES, Maria José Fontelas. "A 'ideologia de gênero' na discussão do PNE: a intervenção da hierarquia católica". *Horizonte*, Belo Horizonte, v. 13, p. 39, 2015, p. 1237-60; disponível em: <http://www.manualdedefesadasescolas.org/manualdedefesa.pdf>.

Vídeos
¿Cuál es la joda con la ideología de género?. Colômbia, 2016. Direção: Santiago Espinosa Uribe. Versão legendada em português disponível em: < https://www.youtube.com/watch?v=jApHV3XKvBM>.

Género bajo ataque. Costa Rica, Peru, Colômbia, Brasil, 2018. Direção: Jerónimo Centurión. Disponível em: <https://www.youtube.com/watch?v=56k7GfFzK6c>.

Sérgio Haddad

BEISIEGEL, Celso de Rui. *Paulo Freire*. Recife, Fundação Joaquim Nabuco / Editora Massangana, 2010.

BEISIEGEL, Celso de Rui. *Política e educação popular*: a teoria e a prática de Paulo Freire no Brasil. São Paulo, Ática, 1982. (Ensaios, n. 85)

FREIRE, Paulo. *Educação como prática da liberdade*. 4. ed., Rio de Janeiro, Paz e Terra, 1974.

FREIRE, Paulo. *Pedagogia do oprimido*. 18. ed. Rio de Janeiro, Paz e Terra, 1987.

FREIRE, Paulo. *Pedagogia da autonomia*: saberes necessários à prática educativa. 6. ed. São Paulo, Paz e Terra, 1996.

Parte III

Pedro de Carvalho Pontual

FREIRE, Paulo. *Pedagogia do oprimido*. 50. ed. rev. atual. São Paulo, Paz e Terra, 2011.

JARA H., Oscar. *La educación popular latinoamericana*: historia y claves éticas, políticas y pedagógicas. San José, Centro de Estudios y Publicaciones Alforja, 2018.

GUELMAN, Anahí; CABALUZ, Fabián; SALAZAR, Mónica (org.). *Educación popular y pedagogías críticas en América Latina y el Caribe*: corrientes emancipatorias para la educación pública del siglo XXI. Buenos Aires, Clacso, 2018; disponível em: <http://biblioteca.clacso.edu.ar/clacso/se/20181113022418/Educacion_popular.pdf>.

Bianca Santana

AMIEL, Tel; SOARES, Tiago C. "O contexto da abertura: recursos educacionais abertos, cibercultura e suas tensões". *Em Aberto*, Brasília, v. 28, n. 94, 2015, p. 109-22.

GONSALES, Priscila; SEBRIAM, Débora; MARKUN, Pedro. *Como implementar uma política de educação aberta e de recursos educacionais abertos*. São Paulo, Cereja, 2017.

SANTANA, Bianca; ROSSINI, Carolina; PRETTO, Nelson De Luca (org.). *Recursos educacionais abertos*: práticas colaborativas e políticas públicas. São Paulo / Salvador, Casa da Cultura Digital / Ed. UFBA, 2012.

VENTURINI, Jamila. *Recursos educacionais abertos no Brasil*: o campo, os recursos e sua apropriação em sala de aula. São Paulo, Ação Educativa, 2014. (*Em Questão*, v. 11)

Alessandro Mariano

CALDART, Roseli Salete. *Pedagogia do Movimento Sem Terra*. 3. ed. São Paulo, Expressão Popular, 2004.

CALDART, Roseli Salete; PEREIRA, Isabel Brasil; ALENTEJANO, Paulo; FRIGOTTO, Gaudêncio (org.). *Dicionário da educação do campo*. Rio de Janeiro / São Paulo, Escola Politécnica de Saúde Joaquim Venâncio / Expressão Popular, 2012.

MARIANO, Alessandro Santos. "A luta do MST por escolas públicas no campo: possibilidades de fazer uma escola comprometida com a transformação da sociedade". In: LOMBARDI, José Claudinei; SAVIANI, Dermeval (org.). *História, educação e transformação*: tendências e perspectivas para a educação pública no Brasil. Campinas/SP, Autores Associados, 2001. p. 187-201.

Rede Brasileira de História Pública

MAUAD, Ana Maria; ALMEIDA, Juniele Rabêlo de; SANTHIAGO, Ricardo (org.). *História pública no Brasil*: sentidos e itinerários. São Paulo, Letra e Voz, 2016.

MAUAD, Ana Maria; SANTHIAGO, Ricardo; BORGES, Viviane (org.). *Que história pública queremos?* São Paulo, Letra e Voz, 2018.

Aniely Silva

LOPES, Bárbara; BOUÇAS, Natália; SOUZA, Raquel. *Jovens e direito à educação*: guia para uma formação política. São Paulo, Ação Educativa, 2016.

Rede Escola Pública e Universidade

CAMPOS, Antonia M.; MEDEIROS, Jonas; RIBEIRO, Márcio Moretto. *Escolas de luta*. São Paulo, Veneta, 2016. (Coleção Baderna)

COSTA, Adriana Alves Fernandes; GROPPO, Luís Antonio (org.). *O movimento de ocupações estudantis no Brasil*. São Carlos/SP, Pedro & João, 2018.

GIROTTO, Eduardo Donizeti (org.). *Atlas da rede estadual de educação de São Paulo*. Curitiba, CRV, 2019.

"Políticas educacionais e a resistência estudantil" [Dossiê]. *Educação & Sociedade*, Campinas/SP, v. 37, n. 137, 2016; disponível em: <http://www.scielo.br/pdf/es/v37n137/1678-4626-es-37-137-01079.pdf>.

TAVOLARI, Bianca; LESSA, Marília Rolemberg; MEDEIROS, Jonas; MELO, Rúrion; JANUÁRIO, Adriano. "As ocupações de escolas públicas em São Paulo (2015-2016): entre a posse e o direito à manifestação". *Novos Estudos Cebrap*, São Paulo, v. 37, n. 2, 2018, p. 291-310; disponível em: <http://www.scielo.br/pdf/nec/v37n2/1980-5403-nec-37-02-291.pdf>.

bell hooks

FREIRE, Paulo. *À sombra desta mangueira*. 11. ed. São Paulo, Paz e Terra, 2013.

HOOKS, bell. *Ensinando a transgredir*: a educação como prática da liberdade. 2. ed. São Paulo, WMF Martins Fontes, 2017.

Sobre as autoras e os autores

Alessandro Mariano: membro do Coletivo Nacional de Educação do MST; doutorando em educação na Unicamp; graduado em pedagogia pela Unioeste (2008); especialista em ensino de ciências humanas e sociais em escolas do campo pela UFSC (2012); mestre em educação pelo Programa de Pós-Graduação em Educação da Unicentro (2016); atuou nas Escolas Itinerantes de Acampamento do MST no Paraná (2004-2014) e na Escola Nacional Florestan Fernandes (2016-2017).

Alexandre Linares: professor de sociologia na Escola Estadual Oswaldo Cruz no bairro da Mooca em São Paulo e de história no cursinho Maximize. Membro do conselho editorial da revista *Margem Esquerda* (Boitempo) e colaborador do jornal *O Trabalho*, do PT.

Ana Paula Corti: socióloga, mestre em sociologia (UFSCar) e doutora em educação (USP). Desenvolve pesquisas sobre a escola pública com ênfase no ensino médio, juventude e políticas educacionais. Atuou na Ação Educativa, coordenando projetos e pesquisas sobre juventude e educação. É professora no Instituto Federal de Educação, Ciência e Tecnologia de São Paulo e membro da Rede Escola Pública e Universidade (REPU).

Aniely Silva: mulher negra lésbica periférica, 21 anos, estudante de licenciatura em ciências sociais. Fez cursos de direito à educação e direito à igualdade de gênero na escola. Está orientadora socioeducativa no Centro de

220 | Educação contra a barbárie

Referência e Defesa da Diversidade. É feminista e ativista pelo direito à educação e os direitos LGBTI+.

bell hooks: Gloria Jean Watkins, mais conhecida pelo pseudônimo bell hooks, é professora, escritora e ativista social feminista nascida nos Estados Unidos. Seus trabalhos foram fortemente influenciados pelas ideias de Paulo Freire. Atualmente é professora no City College de Nova York.

Bianca Correa: graduada em pedagogia pela Faculdade de Educação da USP (1996), fez mestrado (2001) e doutorado (2006) em educação na mesma instituição. É professora na Faculdade de Filosofia, Ciências e Letras de Ribeirão Preto (FFCLRP-USP), na área de políticas e práticas da educação infantil, onde também integra o Programa de Pós-Graduação em Educação.

Bianca Santana: escritora e jornalista. No doutorado em ciência da informação, na USP, pesquisa a memória de mulheres negras. No mestrado, estudou as tecnologias digitais na educação. Colunista da revista *Cult*. Autora de *Quando me descobri negra* (Editora SESI-SP, 2015). Foi uma das fundadoras da Casa de Lua Organização Feminista e da Casa da Cultura Digital, onde coordenou um projeto de recursos educacionais abertos.

Carolina Catini: formada em pedagogia, é mestre e doutora em educação pela Faculdade de Educação da USP. Desde 2014 é professora da Faculdade de Educação da Unicamp. É coordenadora da Linha de Pesquisa Trabalho e Educação no Programa de Pós-Graduação da FE-Unicamp e pesquisadora do Grupo de Estudos e Pesquisas Educação e Crítica Social (GEPECS), criado em 2018.

Catarina de Almeida Santos: professora da Universidade de Brasília (UnB), doutora em educação pela USP, coordenadora do Comitê-DF da Campanha Nacional pelo Direito à Educação e vice-coordenadora da pesquisa "Políticas de expansão da educação a distância (EAD) no Brasil: regulação, qualidade e inovação em questão" na região Centro-Oeste e coordenadora na UnB.

Daniel Cara: educador e cientista político. Desde 2006 é coordenador geral da Campanha Nacional pelo Direito à Educação. É doutorando em educação (USP) e mestre em ciência política (USP). Em 2018 foi candidato ao Senado Federal por São Paulo (PSOL). Obteve 440.118 votos.

Denise Botelho: professora do Departamento de Educação da Universidade Federal Rural de Pernambuco. Professora orientadora do Programa de Pós-Graduação em Educação, Culturas e Identidades. Líder do Grupo de Estudos e Pesquisas em Educação, Raça, Gênero e Sexualidades Audre Lorde – Geperges Audre Lorde. Membro do Coletivo de Acadêmicas Negras Luiza Bairros.

Sobre as autoras e os autores | 221

Fernando Cássio: doutor em ciências pela USP, é professor da Universidade Federal do ABC e tem estudado desigualdades educacionais, processos de financeirização na educação básica e participação política na educação. Faz parte do grupo de pesquisa Direito à Educação, Políticas Educacionais e Escola (DiEPEE/UFABC). Participa da Rede Escola Pública e Universidade e da Campanha Nacional pelo Direito à Educação.

Fernando Haddad: doutor em filosofia pela USP, é professor de ciência política. Foi ministro da Educação do Brasil (2005-2012) e prefeito de São Paulo (2013-2016). Em 2018, foi candidato à Presidência da República pelo PT.

Isabel Frade: professora da UFMG, pesquisadora do Centro de Alfabetização, Leitura e Escrita e membro da linha Educação e Linguagem da Pós-Graduação em Educação da FAE/UFMG, onde integra o Grupo de Pesquisa em Alfabetização, o Núcleo de Estudos e pesquisa em Cultura Escrita Digital do CEALE/FAE/UFMG e o grupo Cultura Escrita do GEPHE/FAE/ UFMG. É presidente da Associação Brasileira de Alfabetização (2017-2019).

José Eudes Baima Bezerra: professor do curso de pedagogia na UECE e do Mestrado Acadêmico em Educação e Ensino da FAFIDAM/FECLESC/ UECE. Foi vice-presidente nordeste do Andes-SN e atualmente é diretor da Sinduece, seção sindical do Andes-SN.

José Marcelino de Rezende Pinto: professor titular da Universidade de São Paulo. Tem experiência na área de política e gestão educacional, com ênfase em financiamento da educação, regime federativo e educação do campo. Ex- -presidente da Fineduca (Associação Nacional de Pesquisa em Financiamento da Educação) e editor da revista *Fineduca*. Foi diretor do Inep (2003) e presidente do Conselho Municipal de Educação de Ribeirão Preto (2008-2010).

Maria Caramez Carlotto: cientista social formada pela USP, é atualmente professora da UFABC, onde atua no bacharelado de relações internacionais, ciências e humanidades e na pós-graduação de economia política mundial. Pesquisa as dinâmicas sociais de produção e difusão de conhecimento à luz das mudanças estruturais do capitalismo e da sociedade brasileira.

Marina Avelar: pesquisadora associada na NORRAG, programa associado ao Graduate Institute of International and Development Studies (Genebra), é doutora em educação pelo UCL Institute of Education (Inglaterra). Estuda privatização e globalização da política educacional, analisando a participação de novos atores privados na formulação e governança de políticas públicas, com interesse especial sobre a filantropia.

Matheus Pichonelli: formado em jornalismo pela Cásper Líbero e em ciências sociais pela USP. Trabalhou em veículos como *Folha de S.Paulo, iG,*

222 | Educação contra a barbárie

Carta Capital, Yahoo! e *UOL*, onde mantém uma coluna sobre comportamento, e tem colaborado em veículos como *The Intercept Brasil* e *O Globo*. Em 2016, foi *ombudsman* convidado do *Jornal do Campus*, da USP.

Pedro de Carvalho Pontual: doutor em educação (PUC-SP). Como educador popular, atuou desde os anos 1970 junto a diversos movimentos sociais e ONGs. Trabalhou com Paulo Freire na SME-SP e foi secretário de Participação e Cidadania de Santo André/SP e Embu das Artes/SP. Foi diretor de Participação Social da Secretaria Geral da Presidência da República (2011-2015). É colaborador da Ação Educativa e do CDHEP Campo Limpo (São Paulo/SP). É Presidente honorário do Conselho de Educação Popular da América Latina (CEAAL).

Rede Brasileira de História Pública: criada em 2012 com o objetivo de fomentar o diálogo entre professores, estudantes e pesquisadores interessados em refletir sobre as múltiplas relações entre a história e seus públicos, da prática de produção do conhecimento histórico dirigido a amplas audiências à pesquisa histórica participativa. Desde então, promoveu cursos, debates, publicações e quatro simpósios internacionais.

Rede Escola Pública e Universidade: nascida das ocupações escolares em São Paulo, é formada por profissionais das redes públicas e pesquisadores de instituições de ensino superior públicas paulistas: Instituto Federal de São Paulo (IFSP); Universidade de São Paulo (USP); Universidade Estadual de Campinas (Unicamp); Universidade Federal de São Carlos (UFSCar); Universidade Federal de São Paulo (Unifesp); e Universidade Federal do ABC (UFABC).

Rodrigo Ratier: jornalista, professor do curso de jornalismo da Faculdade Cásper Líbero. Doutor em educação pela Universidade de São Paulo, com doutorado-sanduíche na Université Lumière Lyon 2, na França. Entre 2008 e 2018, atuou como editor na revista *Nova Escola*. É fundador do Projeto Redigir, curso de redação e cidadania, e do Vaza, Falsiane, curso online contra *fake news*.

Rogério Diniz Junqueira: bacharel em comunicação pela Universidade de Brasília, doutor em sociologia pelas universidades de Milão e Macerata e pós-doutor em direitos humanos e cidadania pela UnB. Pesquisador do Instituto Nacional de Estudos e Pesquisas Educacionais Anísio Teixeira (Inep) e do Centro de Estudos Multidisciplinares Avançados da UnB.

Rudá Ricci: doutor em ciências sociais (Unicamp), é diretor geral do Instituto Cultiva, onde trabalha com educação e gestão participativa. Escreve regularmente na imprensa e é autor de livros como *Lulismo*: da era dos movimentos sociais à ascensão da nova classe média brasileira (Contraponto, 2010) e *Memórias de 2014*: a eleição que não queria acabar (Letramento, 2015).

Sérgio Haddad: doutor em educação, pesquisador da Ação Educativa e professor da Universidade de Caxias do Sul – UCS. Prepara uma biografia de Paulo Freire, a ser lançada em 2019 pela editora Todavia.

Silvio Carneiro: professor de Filosofia da UFABC. Tem estudado políticas curriculares e formação subjetiva nos processos educacionais. É pesquisador da REPU (Rede Escola Pública e Universidade) e do DiEPEE/UFABC (Grupo de Pesquisa Direito à Educação, Políticas Educacionais e Escola). Atualmente coordena o grupo Extimidades: Teoria Crítica desde o Sul Global e participa do grupo Nexos: Teoria Crítica e Pesquisas Interdisciplinares.

Sonia Guajajara: liderança indígena e ambiental, é coordenadora executiva da Articulação dos Povos Indígenas do Brasil (APIB) e foi agraciada com vários prêmios, entre eles a Ordem do Mérito Cultural (2015). É formada em letras e em enfermagem, e especialista em educação especial pela Universidade Federal do Maranhão. Em 2018, foi candidata à co-Presidência da República pelo PSOL, junto com Guilherme Boulos.

Vera Lúcia Jacob Chaves: doutora em Educação (UFMG) e professora da UFPA. Coordena o Programa de Pós-Graduação em Educação da UFPA e o Grupo de Estudos e Pesquisas sobre Educação Superior (UFPA). Foi vice-presidente do ANDES-SN (2000-2004) e da Associação Nacional de Pós-Graduação e Pesquisa em Educação – ANPEd (2013-2017). Integra a rede de pesquisadores Universitas/Br e é bolsista produtividade do CNPq.

Charge de Alberto Benett publicada em 2 de maio de 2019 na *Folha de S.Paulo*.

Publicado em maio de 2019, mês em que o Ministério da Educação anunciou o corte de 30% da verba destinada às universidades federais e às escolas de ensino básico, este livro foi composto em Adobe Garamond Pro, 11/13,3, e reimpresso em papel Pólen Natural 80 g/m² pela Rettec, para a Boitempo, em setembro de 2024.